Kai Sichtermann

Johnny B. Goode im Weltraum

Protest, Ekstase, Provokation – 25 Jahre Rock'n'Roll

Ein intuitives Essay für die Enkelgeneration

FUEGO

The harder they come,
The harder they'll fall,
one and all.[1]

Jimmy Cliff

1) frei übersetzt: Je ärger sie's treiben, desto härter werden sie fallen, alle miteinander

Prolog

Zwei Kriege wüteten auf unserem Planeten, in die fast alle Länder involviert waren, direkt oder indirekt. Mehr als 70 Millionen Menschen verloren dabei ihr Leben. Das wäre so, als würden die Bewohner mehrerer Millionenstädte ausgelöscht, New York, Kairo, London, Madrid, Paris und Berlin mit Toten übersät. Hinzu kommen noch die Überlebenden mit körperlichen Verletzungen, die Verkrüppelten und Verstümmelten, sowie die mit posttraumatischen Belastungsstörungen. Hat es jemals zuvor so viel entsetzliches Leid und Elend in so kurzer Zeit in unserer zivilisierten Welt gegeben?

Von 1914 bis 1918 tobte der Erste Weltkrieg. »Stirb den Heldentod fürs Vaterland!«, mit dieser zynischen Parole versuchten die Kriegstreiber ihr Handeln zu rechtfertigen. Zum Glück fanden sich damals auch Menschen – wenn auch viel zu wenige – die diesen Wahnsinn nicht mitmachen wollten. 1916 trafen sich in der neutralen Schweiz die Dadaisten, um auf ihre provokante Weise gegen das Blutvergießen zu protestieren. *Totentanz,* das Gedicht von Dada-Mitbegründer Hugo Ball, das auch vertont wurde, zeugt davon: *Tod ist unser Zeichen und*

Losungswort. Kind und Weib verlassen wir: Was gehen sie uns an! Wenn man sich auf uns nur verlassen kann!

Zwischen dem Ersten und dem Zweiten Weltkrieg, gab es im musikalischen Kulturbetrieb einige Ereignisse, die Kultstatus erlangten. 1924 komponierte George Gershwin mit der *Rhapsody in Blue* ein sinfonisches Werk, das Jazz und Klassik miteinander verband und in New York seine Uraufführung feierte. – Im Juni 1928 nahm der legendäre Jazz-Trompeter Louis Armstrong mit seinen Hot Five in Chicago den richtungsweisenden *West End Blues* auf.

›Blue‹ und ›Blues‹? Die musikalischen Ursprünge dazu lagen im gesungenen Blues und die Roots dazu im Spiritual, die Musik der schwarzen Sklaven, die in der Frühen Neuzeit von Afrika in den Süden der USA deportiert worden waren. Ihr inbrünstiger Gesang, ihre afrikanischen Rhythmen, durchsetzt mit schamanisch-religiöser Ekstase und die ungewohnte Harmonik vermischte sich mit den liturgischen Gesängen, Psalmen, Hymnen und getragenen Chorälen der weißen christlichen Kultur. Im auslaufenden 19. und Anfang des 20. Jahrhunderts entwickelte sich aus dem Spiritual die geistliche Musik des hoffnungsvollen Gospels und als weltliche Entsprechung der meist melancholisch klingende Blues. Andere musikalische Mischformen dieser und späteren Zeiten nennen wir heute Ragtime, Boogie-Woogie, Jazz (New Orleans, Chicago, Swing, Bebop, Cool), Hillbilly, Country & Western, Folk, Rockabilly, Rhythm & Blues, Doo Wop,

Funk, Reggae oder Weltmusik, vorgetragen von unzähligen großartigen Musikern auf der ganzen Welt.

Im August 1928 wurde im Berliner Theater am Schiffbauerdamm Bertolt Brechts und Kurt Weills *Dreigroschenoper* uraufgeführt, in der die Unterwelt den Raubtier-Kapitalismus spiegelt. Aus dem Eröffnungs-Titel, *Die Moritat von Mackie Messer* wurde in den 50ern der Song *Mack the Knife* und ist heute ein Jazz-Standard. Es war wiederum Louis Armstrong, der mit seinen Interpretationen großen Anteil daran hatte, dass eine deutsche Moritat im neuen Gewand internationalen Ruhm erlangte. – Im November 1928, im Zuge des Impressionismus, sah und hörte in Paris ein geschocktes Publikum das Ballett *Boléro* von Maurice Ravel, erotische Bewegungen einer Tänzerin zu einer hypnotischen Musik, die ihresgleichen sucht. – 1935 wurde die American Folk Opera *Porgy and Bess* aus der Taufe gehoben, wieder mit Musik von George Gershwin. Von den vielen schönen Liedern ragt eines heraus: *Summertime.*

Exkurs – Evergreen. Im New Yorker Stadtteil Manhattan, zwischen der 5. und 6. Avenue, gibt es in der 28. Straße einen Häuserzug, der Anfang des 20. Jahrhunderts, Tin Pan Alley (Straße der Zinnpfannen) genannt wurde. In diesen schönen alten Gebäuden befanden sich die Büros der Musikverlage, die ihre angestellten Textdichter und Hauskomponisten dazu anhielten, den ganzen lieben langen Tag auf dem Klavier zu klimpern, um neue Songs zu kreieren. Tin Pan Alley – das Klimpern der Klaviere wurde mit dem Klappern der Zinnpfannen der Häuser verglichen. Die Bedeutung der *Tin Pan Alley*-Ära für die Musikgeschichte hat der deutsche Autor Hans-Jürgen Schaal hervorgehoben: »Wer *Tin Pan Alley* sagt, rümpft dabei meistens die Nase: Der Begriff steht für kommerzielle Unterhaltung und leichteste Broadway-Kost. Sehr zu Unrecht, denn in ihrer Blütezeit zwischen 1925 und 1945 erlebte die *Alley* die glückliche Geburt der amerikanischen Klassik aus dem Geiste des Jazz Age. Von diesen Meisterwerken des *Great American Songbook* profitiert der Jazz bis heute.« Nicht nur der Jazz, überhaupt die populäre Musik. Und es gibt wohl kaum einen Musikfreund, gleich welchen Genres, der sich nicht schon einmal von einem Lied aus dieser Zeit tief berührt fühlte. Schaal fährt fort: »Es waren die Jahre des *Cotton Club*[2] und der *Harlem Renaissance*[3]: Das Leben war elektrisiert, die Musik bekam einen nervösen Sound, die Menschen änderten ihren Rhythmus und ihre Sprache. Die Songschreiber der *Alley* gerieten in den kreativen Sog dieses neuen Lebensgefühls, verbanden den Witz der Zeit mit dem Willen zur Kunst und komponierten Schlager für die Ewigkeit. George Gershwin, Ivring Berlin *(White Christmas,* 1940), Jerome Kern *(Smoke Gets In Your Eyes,* 1933), Richard Rodgers *(Blue*

---

2) war ein New Yorker Nachtclub in Stadtbezirk Harlem in dem zw. den 1920er und 1930er Jahren schwarze Jazzmusiker auftraten

3) war eine soziale, kulturelle und künstlerische Bewegung afroamerikanischer Schriftsteller und Maler zw. 1920 und 1930

Moon, 1934), Cole Porter *(Night and Day,* 1932), Harold Arlen *(Over the Rainbow,* 1938), Harry Warren *(Chattanooga Choo Choo,* 1941) und Arthur Schwartz *(You and the Night and the Music,* 1934) schufen eine neue Ästhetik der Unterhaltungsmusik: den Love-Song als Kunstwerk, als klingende Miniatur, die über die wirre Broadway-Show und den banalen Hollywood-Film hinauswächst zum Klassiker.«

1929 veröffentlichte Erich Maria Remarque seinen Antikriegsroman *Im Westen nichts Neues.* Das Buch wurde ein Weltbestseller, und auch die Dadaisten waren länderübergreifend erfolgreich. Aber die Nationalsozialisten waren stärker. 1933 kam Hitler an die Macht. Der Überfall auf Polen 1939 stürzte die Welt in den zweiten großen Krieg. Charlie Chaplins satirischer Film *Der große Diktator,* der 1940 seine Uraufführung hatte, war und ist bis heute die großartigste Entlarvung eines sogenannten Führers. Nach dem Ende des Zweiten Weltkriegs 1945 lag halb Europa in Schutt und Asche. Viele Männer befanden sich in Kriegsgefangenschaft oder lebten nicht mehr. Einen großen Anteil beim Wiederaufbau der Städte hatten die Trümmer-Frauen. Für ihre Kinder hatten sie wenig Zeit; sich selbst überlassen wurden viele unangepasst und aufmüpfig, nicht nur in Europa. Das Bewusstsein zahlreicher junger Menschen änderte sich. Das Weltbild ihrer Eltern wollten und konnten sie nicht übernehmen.

Das betraf besonders die Bohème- und Subkultur-Szene in den USA und Frankreich während der zweiten

Hälfte der 1940er Jahre. Im New Yorker Bezirk Manhattan stießen Schriftsteller und Dichter wie William Burroughs, Jack Kerouac und Allen Ginsberg als Beat Generation[4] auf schwarze Jazz-Musiker wie Dizzy Gillespie, Charlie »Bird« Parker und Thelonius Monk. Sie alle reflektierten den Zeitgeist. Das Ergebnis waren Bücher wie *Naked Lunch, On the Road - Unterwegs* oder *Das Geheul,* sowie eine neue Form des Jazz – der virtuose und aufwühlende Bebop, wie z.B. das Stück *Be-Bop* (1945) von Dizzy Gillespie oder *Donna Lee* (1947) von Charlie Parker. »Dieser Bebop war mehr als Musik: Er verkörperte das Lebensgefühl der Unangepassten, die aus den Konventionen der amerikanischen Gesellschaft flohen...«[5]

Zeitgleich trat im Pariser Künstlerviertel Saint Germain de Près eine unkonventionelle Lebenseinstellung in Erscheinung, ausschweifend, leicht melancholisch: der Existentialismus – *Die Welt an sich ist absurd.* Der Philosoph Jean-Paul Sartre, einer der Köpfe dieser Bewegung postulierte: »Der Mensch ist dazu verurteilt, frei zu sein.« Die Existenzialisten jener Tage waren hauptsächlich kritische Intellektuelle, trugen bevorzugt schwarze Kleidung und Rollkragenpullover, tranken Rotwein und verkehrten in verrauchten Kellerlokalen, in denen natürlich auch Musik gespielt wurde. Ihr Existenzialisten-Frühstück am Mittag bestand aus einer Tasse schwarzem Kaffee und einer filterlosen Gauloises-Zi-

4) war eine Richtung der US-amerikanischen Literatur nach dem Zweiten Weltkrieg bis in die 1950er Jahre

5) Werner Stiefele, Fachjournalist für Jazz

garette – manchmal auch ein Croissant. Juliette Gréco, Chansonsängerin und Muse der Existenzialisten, hat über diese Bewegung mal gesagt, sie »steht für Freiheit und Verantwortung«. Außer den französischen Chansons, wie sie von Juliette Gréco (*Si tu t'magines,* 1950) und anderen gesungen wurden, gehörte die Jazzmusik dazu, besonders der Cool Jazz wie Miles Davis oder Gerry Mulligan (*Bernie's Tune,* 1952/53) ihn spielten. Es gab auch eine Vereinigung der beiden Musikrichtungen, Chanson und Jazz, in Form eines Liebespaares: Juliette Gréco, die »Schwarze Rose von St. Germain« und Miles Davis, zu jener Zeit der coolste Mann der Welt, lernten sich 1949 in Paris kennen und lieben.

Die 1950er Jahre standen in West-Deutschland für den Aufschwung nach den Entbehrungen des Krieges, aber auch für Rebellion der Jugend und die Sehnsucht nach individueller Freiheit. Finanzminister Ludwig Erhard hatte »Wohlstand für alle« in Aussicht gestellt und seine Prognose erfüllte sich. Das so genannte Wirtschaftswunder fand tatsächlich statt, und fast jeder war bereit, dafür die Ärmel hochzukrempeln. Der überraschende Gewinn des Weltmeistertitels durch die Deutsche Fussballnationalmannschaft 1954 in der Schweiz[6] sorgte zusätzlich für ein neues Wir-Gefühl, frei nach dem Motto: »Wir sind wieder wer.« – 1953 fand die sinnliche Cool Jazz-Aufnahme *My Funny Valentine,* auch ein *Great Ameri-*

6) durch einen 3:2 Erfolg gegen Ungarn; das „Wunder von Bern" wurde 2003 auch verfilmt

can Songbook-Titel aus der *Tin Pan Alley*-Ära, gespielt vom Gerry Mulligan Quartett, große Beachtung. Einer der vier Musiker war der Trompeter und Sänger Chet Baker, der in dieser Dekade zum Popstar des Jazz aufstieg. – Im selben Jahr, im geistigen Klima der Existenzialisten, wurde in der Seine-Metropole das absurde Theaterstück *Warten auf Godot* von Samuel Beckett zum ersten Mal aufgeführt. Doch Godot kommt nicht. Ist Warten sinnlos? Nichts tun...

New Orleans, die bunte Hafenstadt am Mississippi River, mit dem Rotlicht-Vergnügungsviertel von Storyville, war Anfang des 20. Jahrhunderts ein brodelnder Schmelztiegel verschiedener Kulturen und die Wiege des Jazz und des Rhythm & Blues. Zwei Protagonisten, die in dieser Zeit dort Musik machten, waren Louis Armstrong und Sidney Bechet. Als der britische Jazz-Musiker Ken Colyer nach zweijährigem New Orleans-Aufenthalt 1953 nach England zurückkehrte, brachte er den New Orleans-Jazz mit nach Europa. Davon beeinflusst formierten sich Colyers Musiker-Kollegen zu der Chris Barber's Jazzband, die 1955 die erfolgreiche Vinyl-Single *Ice Cream/Down by the Riverside* auf dem dänischen Label *Storyville*[7] veröffentlichten. Drei Jahre später folgte die Bechet-Komposition *Petite Fleur,* gespielt von dem Klarinettisten Monty Sunshine. Die Instrumental-Nummer, wurde schnell zum internationalen Millionenseller

7) benannt nach dem Vergnügungsviertel Storyville in New Orleans

mit Seltenheitswert: schwarzes New Orleans-Feeling in den Charts überwiegend weißer Hörer. Der Traditional- oder Dixieland-Jazz von Musikern wie Ken Colyer, Chris Barber, Kenny Ball (*Midnight in Moscow,* 1961) oder dem »King of Skiffle« Lonnie Donegan (*Rock Island Line,* 1956) war nicht nur ein Revival aus frühen Tagen der Metropole des Blues und Jazz am *Old Man River*[8], die Musik wirkte auch als Katalysator für die spätere Beat-Musik in Liverpool.

In den USA produzierte das Kingston Trio 1958 den auf Tatsachen beruhenden Folksong *Tom Dooley* aus den zwanziger Jahren. Besungen wurde ein vermeintlicher Mörder, der 1867 für seine Tat zum Tod durch den Strang verurteilt wurde: *Hang down your head, Tom Dooley, Hang down your head and cry, Poor boy, you're bound to die - Senk deinen Kopf, Tom Dooley, Senk deinen Kopf und weine, Armer Junge, du musst sterben.* Das bedrückende Lied war in dieser sparsamen Folk-Interpretation außer in den USA auch in Europa ein großer Hit. – Im selben Jahr erschien auch Wilhelm Reichs Werk *The Murder of Christ*. Misha Schoeneberg schrieb dazu in seinem deutschen Rock'n'Roll-Märchen *Als Wir das Wunder waren*: »Die Ermordung alles Lebendigen durch das gepanzerte Menschentier, das ist Reichs Thema, es geschehe tagtäglich, seit Generationen. Schuld sei die Angst vor Liebe und Zärtlichkeit, welche die Kinder von ihren Eltern eingebläut bekämen und dann bewusst oder unbewusst an

8) umgangssprachliche Bezeichnung für den Fluss Mississippi

die nächste Generation weitergäben. Das sei die tatsächliche ›Erbsünde‹, sagt Wilhelm Reich. Reich nennt sie die ›Emotionale Pest‹. Anstatt Bestätigung in der Liebe zu erfahren, lernen wir persönliche Gier. Das schlägt sich nieder in seelischer wie körperlicher Verspannung. Am Ende steckt ein jeder in einer Panzerung, so als wäre er lebendig eingemauert.«

In diesem Sinne sind die berühmten Hollywood-Dramen zu verstehen, in denen Marlon Brando *(Der Wilde,* 1953) und James Dean *(Denn sie wissen nicht was sie tun,* 1955) protestierende Jugendliche spielen, die sich unverstanden fühlen und so – wie schon nach dem Ersten Weltkrieg – zu der von der Nachkriegsentwicklung enttäuschten »Lost Generation« wurden. In der BRD sprach man in diesem Zusammenhang von den »Halbstarken«. »Die Isolation des Individuums in der modernen Gesellschaft«[9] ist ein gemeinsames Thema dieser Unzufriedenen.

9) Mike Evans

Interlog

Welche Musik hörten die Armen, die Schwarzen, unangepasste Künstler, Rebellen und Desperados während und nach dem großen Krieg in den USA? Wahrscheinlich eher schwarze Race-Music (Jazz und Rhythm & Blues), vielleicht besonders Bebop. Eventuell auch Lieder wie *Strange Fruit* (1939) von Billie Holiday. Die schwarze Jazz-Sängerin schaffte es »jenen ergreifenden Titel *Strange Fruit* so zu interpretieren, dass er regelrecht zur Hymne aller wurde, die die Erinnerung an die Plantagenarbeit nicht gelöscht hatten, so wie sie in Billie Holidays eigener Familie wach war. Und die Sängerin, die oft nur Hintereingänge zu den Clubs benutzen durfte, in denen sie vor Weißen auftrat, war intelligent genug, in ihrem eigenen gekennzeichneten Leben eine Verlängerung der Plantage zu erkennen und den ergreifenden, einen Akt von Lynchjustiz thematisierenden Song zu hinterlassen.«[10]

Andere populäre Songs waren *This Land Is Your Land* (1940) von Woody Guthrie oder das anklagende *Sixteen Tons* (1947) von Merle Travis, bei dem es um Ungerechtigkeiten im Bergbau geht. Angesagt waren

10) Roger Willemsen

auch Rhythm & Blues-Songs à la Louis Jordan *(Caldonia,* 1945) oder von Big Joe Turner *Chains of Love* (1951). Aber wem gebührt die Ehre den ersten »echten« Rock'n'Roll-Song veröffentlicht zu haben? Natürlich kann es darauf keine allgemein gültige Antwort geben. Ein möglicher Kandidat könnte Fats Domino mit

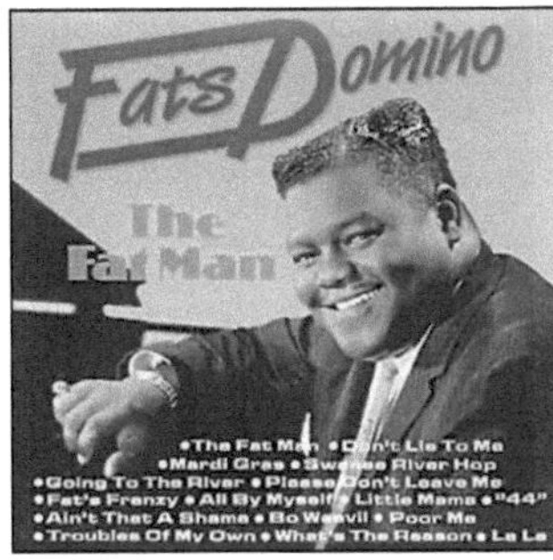

seinem Titel *The Fat Man* sein, produziert 1949 in New Orleans von Dave Bartholomew. Alternativ dazu wäre *Rocket 88* zu nennen, aufgenommen 1951 von Ike Turner und Jackie Brenston and his Delta Cats, produziert von Sam Phillips in Memphis, der ein Jahr später sein eigenes Platten-Label *Sun Records* gründete und Mitte der fünfziger Jahre wichtig für das frühe Rock'n'Roll-Business war. Sam Phillips produzierte u.a. Stars wie Elvis Presley, Jerry Lee Lewis, Carl Perkins, Roy Orbison und Johnny Cash in ihrer Anfangszeit.

Dann folgte der April 1954. Bill Haley & his Comets gehen in New York ins Studio und covern von Sonny Dae & his Knights den Song *Rock Around the Clock;* Produzent ist Milt Gabler. *One, two, three o clock, four o clock, rock!* Eine Mischung aus schwarzem Rhythm & Blues und weißer Country-Musik, wird zum Rock'n'Roll. Ein Jahr später hat der Regisseur Richard Brooks die Idee, den Titel am Anfang und Ende des US-amerikanischen Films *Die Saat der Gewalt* einzuspielen. Der

Song *Rock Around the Clock* wird zum internationalen Superhit. Dieser Umstand war für die Film-Produzenten Grund zum Handeln und »Hollywood reagierte mit einem Rock'n'Roll-Film: *Rock Around the Clock* kam im März 1956 in den USA, im September in Deutschland ins Kino. Der deutsche Titel *Außer Rand und Band* war Programm: Während der Vorstellung brachen randalierende ›Halbstarke‹ Stuhlreihen kaputt, anschließend demolierten sie Telefonhäuschen und riefen Sprechchöre wie ›Rock and Roll‹. In allen Großstädten gab's Straßenschlachten mit der Polizei.«[11] »Dieser erste Rock'n'Roll-Film hatte im Herbst 1956 erhebliche gesellschaftliche Außenwirkungen in vielen westlichen Ländern sowie in Australien und Südamerika.«[12]

Man kann wohl sagen, der Film, aber besonders der Haley-Song und damit der Rock'n'Roll als Musikströmung, lösten ein kulturelles Erdbeben aus. Ein Weltphänomen war geboren! Eine neue Form der Ekstase! Eine archaisch-rhythmische Urkraft, verbunden mit Freiheit, Schweiß und Erotik. Ein aufregendes Lebensgefühl, gepaart mit materiellen Errungenschaften wie Petticoat, Blue Jeans (Nietenhosen), Kaugummi, Coca-Cola, Zigaretten & Whiskey, Comics, Ketchup, tragbaren Plattenspielern und kleinen Transistorradios. Tanz nach Musik mit Strom-Gitarren, Bass und Schlagzeug als Grundlage, die den Mainstream erobert. Coole Lässigkeit aus Amiland, das Gegenteil von Strammstehen in Uniform. Der

11) Rolf Langenhuisen

12) Wikipedia

Protest der Nachkriegsjugend gegen bürgerliche Zwänge und Normen, gegen militante Traditionalisten findet in dieser Musik seine Ausdruck. *We're gonna rock around the clock tonight! – Wir werden die ganze Nacht durchrocken!* Das weiße Establishment empörte sich über die Radaumusik, die »Negermusik« und – in Deutschland, über das »Amigeheul«. Doch das hinderte viele Jugendliche auch und gerade aus armen Verhältnissen nicht daran, nach Rock'n'Roll-Musik zu tanzen oder sich eine günstige Gitarre zu kaufen, um Rock-Musik zu spielen – so der verkürzte Name, der sich im Laufe der Jahre als Oberbegriff durchsetzte. Im Vergleich zur klassischen Musik der Hochkultur war es für Anhänger des Rock'n'Roll auch ohne längere Ausbildung, wie Notenlesen und Harmonielehre, möglich eine Band zu gründen, um sich musikalisch auszudrücken.

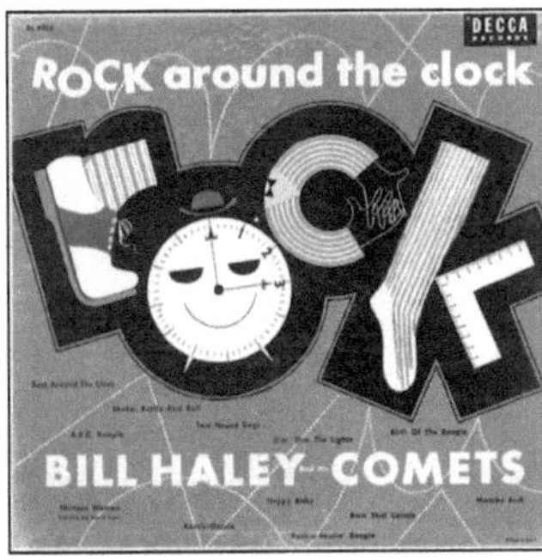

Exkurs – Rausch der Sinne. Peter Schneider, einer der 68er-Aktivisten: »Natürlich war Bill Haleys *Rock Around the Clock* im Vergleich zu einer Kantate von Johann Sebastian Bach das Werk eines musikalischen Analphabeten. Nur änderte diese Einsicht nichts daran, dass Bill Haley – im Unterschied zu Bach – meinen Körper in helle Aufregung versetzte und meine Füße elektrisierte. [...] Es war dieses sture wunderbare Dadadámdamdám, das meinen Körper – und die von Millionen junger Leute – in ein und denselben Rhythmus einschwingen ließ und in Trance versetzte.« – Auch wenn die Trance Tanz-Expertin Ulrike Freimuth mit ihrem folgenden Statement eher von elektronischer Musik ausgeht, lassen sich dennoch Teile ihrer Aussage auf den Rock'n'Roll übertragen: »Für mich ist Trance Tanz Magie, Heilung, ein Ventil um emotionalen Druck abzubauen, ein Weg, um wieder den Rhythmus des Lebens in mir zu spüren, mich in meinem Körper zu Hause zu fühlen. Ich begegne mir selbst, authentisch im Hier und Jetzt. Trance Tanz schenkt mir Kraft, Freude, Lebendigkeit, leuchtende und klare Augen, Ekstase, Frieden und Liebe.«

»Wenn das, was gute Rockbands auf der Bühne präsentieren, vom Publikum aufgenommen wird, dann ergibt sich, ich würde fast sagen, so etwas wie eine magische Einheit. An einem guten Tag ist das wirklich möglich. So etwas wie Massenhypnose, eben das was gute Rockkonzerte immer auslösen.«[13]

»Im Genusse dieses Tanzes, Halberstickt in diesem Wirbel, Vergessend die Ziele des heißen Begehrens, Widmet der Geist sich dem Spiel der Berauschung. Auf mächtigen Flügeln Neuen Begehrens, Wird er getragen, Ins Reich der Ekstase.

Diese Verse sind dem Gedicht entnommen, das Alexander Skrjabin seinem 1908 fertiggestellten Orchesterwerk *Le poème de l'extase* beigefügt hat. [...] Zu allen Zeiten und in allen Kulturen haben Menschen außerge-

13) Misha Schoeneberg

wöhnliche Zustände des Erlebens gesucht (oder auch gefürchtet) und den damit verbundenen, nicht alltäglichen Erfahrungen besondere Bedeutung zugemessen.«[14]

Nach dem Erfolg von *Rock Around the Clock* war es vor allem ein schwarzer Musiker, der wie kaum ein anderer neue aktuelle Rock-Klassiker schrieb. Chuck Berry, Komponist, Texter, oder besser gesagt Poet, Sänger und astreiner Rock'n'Roll-Gitarrist, der mit verschmitztem Gesichtsausdruck und seinem urkomischen Duckwalk (Entengang) die Fans bei Live-Konzerten entzückte. In *Roll Over Beethoven,* 1956 als Single vermarktet, sang Berry, wie sehr er auf Rock'n'Roll-Musik abfährt, und dass die klassische Musik, wie die von Beethoven, davon überrollt wird; der Titel wurde zum Schlachtruf des Rock'n'Roll. In *School Days* (1957) forderte Berry den Rock'n'Roll auf: *erlöse mich von den alten Zeiten* und in *Too Much Monkey Business - for me to be invoved in* (1956) machte er sich Gedanken über das Gemeinwohl: *Zu viel krumme Touren, als dass ich da mitmischen würde.* Die Nummer *Johnny B. Goode* von 1958, die Blaupause aller Rock'n'Roll-Songs, beschreibt den amerikanischen Traum: der Aufstieg vom armen, aber talentierten Gitarrenspieler zum Star, auch wenn man ein Schwarzer ist. Chuck Berry schrieb diesen Song für seinen Pianisten Johnnie Johnson, räumt aber ein: »Johnny in dem Lied bin mehr oder weniger ich selbst, obwohl es ein Lied für Johnnie Johnson sein sollte. Ich habe die Voraussagen,

14) Rainer Schmitt

die meine Mutter über mich gemacht hatte, verändert und eine Geschichte erfunden, die parallel lief. [...] Wie sich herausstellte, stand mein Name eines Tages tatsächlich in Leuchtbuchstaben geschrieben und es ist eine Tatsache, daß dies hauptsächlich *Johnny B. Goode* zuzuschreiben ist.« Das Stück wurde 1977 als einziger Vertreter des Rock-Genres (neben 26 anderen Musik-Stücken) auf einer interstellaren Datenplatte mit den Raumsonden Voyager 1 und 2 als Grußbotschaft für Außerirdische ins All geschossen. Die Legende erzählt, dass die Aliens, nachdem sie *Johnny B. Goode* gehört hatten, mehr Songs des Komponisten hören wollten. - Viele Titel von Chuck, die zwischen 1955 und 1964 entstanden, sind scharf gewürzte Meisterwerke und das musikalische Fundament des Rock'n'Roll schlechthin. Kein Wunder, dass seit den späten 50ern und noch Jahrzehnte danach alle großen Rock-Veteranen Chuck Berry-Songs coverten.

Einer von ihnen war der ehemalige Lkw-Fahrer Elvis Presley – später mit dem Titel »King of Rock'n'Roll« geehrt, eine Ehrung, die eigentlich besser zu Chuck Berry gepasst hätte. »Elvis the Pelvis« – so wurde er wegen seines aufreizenden Hüftschwungs genannt – war ein exzellenter Südstaaten-Sänger mit gelegentlichem Schluckaufgesang, der beim Singen schmachtend den Mikrofonständer verführte. Elvis besaß einen so umwerfenden Sexappeal, dass es fast schon unsittlich war. Außerdem war er ein guter Rhythmusgitarrist. Als Weißer unterstützte Elvis die Aufweichung der Rassentrennung, indem er Lieder schwarzer Künstler sang, was damals ein Skandal war. 1956 erschien mit dem bluesigen *Heartbreak Hotel* ein Titel über Einsamkeit und gebrochene Herzen. »Das Lied *Heartbreak Hotel* war der erste Pop-Hit von Elvis Presley. Diese Art von Musik wurde zu seinem Markenzeichen und gilt als der typische Rock'n'Roll Song überhaupt. Elvis war einer der ersten Musiker, der Rock'n'Roll-Nummern veröffentlichte.«[15] Weitere Megahits von Elvis waren 1956/57 *Don't Be Cruel, Hound Dog, All Shook Up* und *Jailhouse Rock*. Letztere Aufnahme, mit einigen unterschwelligen Andeutungen im Text, war nicht nur eine rockige Crossover-Nummer, *Jailhouse Rock* war auch der Titelsong in dem gleichnamigen Hollywood-Drama (in Deutschland: *Rhythmus hinter Gittern*, 1957) mit Presley als singendem Draufgänger in der Hauptrolle, der hinter schwedischen Gardinen landet und dort eine Rock'n'Roll-Show abzieht.

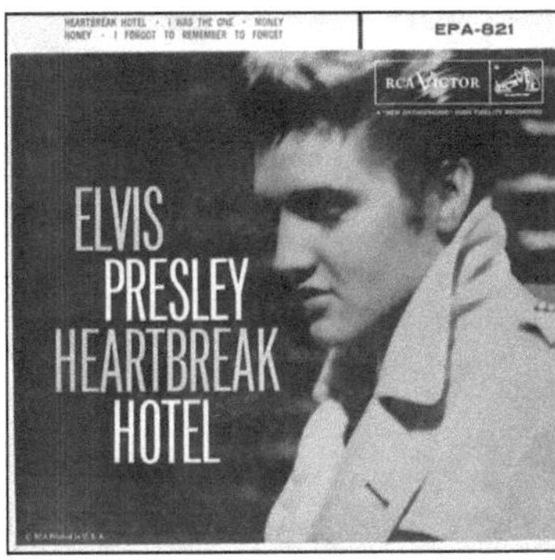

Let's rock, Everybody, let's rock, Everybody in the whole cell block, Was dancin' to the Jailhouse Rock – Lasst uns rocken, alle Mann zusammen, lasst uns rocken, Jeder im ganzen Zellenblock, tanzt zum Gefängnis-Rock.

Ein Rebell im politischen Sinne war Elvis nicht, so ließ er sich z.B. ohne Protest zum Wehrdienst einziehen

15) Retromania

und spielte den braven vorzeigbaren Mustersoldaten. Doch im Knast so ausgelassen abzurocken, an einem Ort, der symbolisch für Strafe, Zwang, Disziplin und Ordnung steht – auch wenn es nur im Film ist – hatte durchaus eine rebellische Botschaft. Die Gesangsszenen in *Jailhouse Rock* mit den temporeichen Tanzeinlagen waren neu und damals schockierend und wegweisend für spätere Video-Clips. Als Reaktion auf den Film sollen Jugendliche Kino-Sitzposter zerfetzt oder Stühle zertrümmert haben. Ergo: Elvis Presley war der Katalysator eines Jugendkults, der spießbürgerliche Grenzen sprengte.

Der britische Journalist Ray Connolly beschrieb einmal, was Elvis für ihn bedeutete: »Das erste Mal hörte ich ihn im März 1956. Ich war ein Schuljunge in einer kleinen Stadt in Lancashire. Nichts in der Welt klang so wie er – nichts in meiner Welt jedenfalls. Damals gab es nicht einmal das Wort Teenager. Wenn man einmal ausgewachsen war, sollte man gefälligst wie eine jüngere Version seiner Eltern aussehen, und auch so denken und sprechen. In jene freudlose, vorsichtige Zeit, wo jeder seinen Platz kannte, schlug Elvis ein wie der Blitz.«[16]

Der Name »Rock'n'Roll« hatte in seiner Anfangszeit auch einen sexuellen Bezug und das ist mit Sprüchen wie »Rock me, Baby« bis heute so geblieben. Aber weder Bill Haley noch Chuck Berry noch Elvis Presley haben den Rock'n'Roll erfunden. Werner Voss, un-

16) Artikel von Alan Posner

übertroffener Fachmann in Sachen Rock'n'Roll und Macher der fulminanten Radiosendungen *Rock'n'Roll Museum* klärt uns auf: »Rock'n'Roll ist eine um 1953 willkürlich geschaffene Sammelbezeichnung, eine Art Oberbegriff für eine Vielzahl musikalischer Stilrichtungen der 50er und früheren 60er Jahre, die eines gemeinsam hatten, sie waren musikalische Ausdrucksformen von Minderheiten.« Werner Voss unterscheidet fünf ursprüngliche Stilarten, die sich geographisch bedingt, eigenständig nach dem Zweiten Weltkrieg in den USA entwickelten: den Northern Band-Rock'n'Roll (z.B. Bill Haley), den New Orleans Dance-Blues (z.B. Fats Domino), den Country-Rock oder Rockabilly (z.B. Carl Perkins), den Chicago Rhythm & Blues (z.B. Chuck Berry) und den Vocal Group Style, auch Doo Wop genannt (z.B. The Drifters). Außer diesen fünf Hauptstilarten gab es noch diverse Nebenströmungen, spätere Rock'n'Roll-Interpreten legten sich nicht auf eine bestimmte Richtung fest und so wurde alles gut untereinander vermischt.

Im Zeitfenster zwischen Ende der 40er und Anfang der 60er Jahre gab es tausende hervorragender Musiker. Einige der bedeutendsten Wegbereiter des Rock'n'Roll in den USA waren:

- der »Hillbilly-Shakespeare«, Hank Williams (*Jambalaya,* 1952),
- der Discjockey Alan Freed,
- der »Architect of Rock'n'Roll«, Little Richard mit

seinem Superhit *Tutti Frutti* von 1955 und dem unvergessenen dadaistischen Ausruf, zu dem Bob Dylan sich einmal geäußert hat: »Ich habe immer gedacht, dass *A wop bop alu-bop, a wop-bam-boom!* alles gesagt hat«,

- der Saxophonist King Curtis *(Yakety Yak,* 1958),
- der Pianist Johnnie Johnson, der einen nicht unerheblichen Anteil bei der Entstehung vieler Chuck Berry-Songs inne hatte,
- »The Fat Man« mit seinen innovativen New-Orleans-Rhythm & Blues-Songs, Fats Domino *(Blueberry Hill,* 1956),
- der sympathische Tennessee Boy des Rockabilly, Carl Perkins *(Blue Suede Shoes,* 1956),
- der »Teufelspianist«, Jerry Lee Lewis *(Great Ball of Fire,* 1957),
- die große Kraft des frühen Rock'n'Roll, Buddy Holly *(That'll Be the Day,* 1957)
- der Genius und Begründer des Soul, Sänger und Pianist Ray Charles *(What'd I Say,* 1959),
- der »Man in Black«, Country-Sänger, Johnny Cash *(I Walk the Line,* 1956),
- der »Rock'n'Roll Rebell«, Eddie Cochran *(Summertime Blues,* 1958),
- oder der erste englische Rock'n'Roll Star Tommy Steele *(Come On, Let's Go,* 1958).

Auch die Krone der Schöpfung war aktiv, z.B. mit dem Gospelstar Sister Rosetta Tharpe *(Up Above My*

Head, 1948), mit den beiden Rhythm & Blues-Ladys, Ruth Brown *(Mama, He Treats Your Daughter Mean,* 1953), und LaVern Baker *(Tweedlee Dee,* 1955) oder der »Queen of Rockabilly«, Wanda Jackson *(Let's Have a Party,* 1958). Es gab innovative Songschreiber wie Otis Blackwell *(Fever,* 1956), Autoren-Teams wie Jerry Leiber & Mike Stoller *(Love Potion No. 9,* 1959), Doc Pomus & Mort Shuman *(Save the Last Dance for Me,* 1960), sowie gemischte Songschreiber-Duos wie Gerry Goffin & Carole King *(The Loco-Motion,* 1962), Barry Mann & Cynthia Weil *(You've Lost That Lovin' Feelin',* 1964) oder Jeff Barry & Ellie Greenwich *(Be My Baby,* 1963)[17].

Sie alle und viele andere sorgten dafür, dass die Rock'n'Roll-Welle an Größe zunahm und langsam aber sicher die ganze (westliche) Welt überschwemmte. Speziell über die alliierten Soldatensender AFN und BFBS oder Radio Luxemburg fand die Musik in der BRD ebenso ihre Verbreitung wie in normalen Gaststätten und in den Szene-Kneipen und Clubs, in denen sich Jugendliche und Studenten trafen. Dort stand oft eine Jukebox, in der die angesagten Stücke liefen; die Königin dieser Musikautomaten war das bunte amerikanische Modell *Wurlitzer 1015, Blubber, One More Time.* Mike Evans schreibt dazu in seinem »Rock'n'Roll«-Buch: »Der Aufstieg des Rock'n'Roll fiel zusammen mit der Einführung der Vinylschallplatten. Die Single, die 1949 auf den Markt kam, sich aber erst Mitte der Fünfziger durch-

17) diesen Titel schrieben Ellie Greenwich und Jeff Barry zusammen mit Phil Spector

setzte, machte es möglich, neue Hightech-Musikboxen statt mit einem guten Dutzend mit bis zu 100 Platten zu füllen. Mit den leichten neuen Platten kamen tragbare Plattenspieler, erschwinglich für jeden Teenager. Nun konnten die jungen Leute Musik hören, wo sie wollten, ohne an den Phonographen gebunden zu sein, der zum Mobiliar der meisten Familien gehörte.«

Viele Songtexte handelten von Autos, Autokinos und dem (Liebes-) Leben der Teens & Twens. Über Konflikte zwischen Jugendlichen und Erwachsenen geht es z.B. in Eddie Cochrans Sommerhit von 1958, *Summertime Blues*. Dazu Werner Voss: »Ich halte *Summertime Blues* für eines der Meisterwerke der Rock'n'Roll-Ära. Obwohl der Song auch bei uns noch oft gespielt wird, scheint die sozialkritische Aussage wohl kaum erfasst worden zu sein. Cochran berichtet hier vom Ärger eines Jugendlichen mit den Erwachsenen und ihren Leistungsanforderungen mit derart beißendem Spott, dass mich heute rückschauend auf die Eisenhower-Ära wundert, dass *Summertime Blues* seinerzeit nicht von den amerikanischen Radiostationen gebannt wurde. Cochrans Song offenbart das tatsächliche Denken und Fühlen seiner Zeitgenossen, die im Sommer statt zu arbeiten lieber eine schöne Zeit verleben wollten. Als der Jugendliche seinem Kongressabgeordneten dieses Problem vorträgt, entlarvt dessen Antwort das Desinteresse der Erwachsenen an der Jugend, wenn er sagt: ›Ich würde dir ja gern helfen, mein Sohn, aber du bist leider zu jung zum

Wählen«. – Ein anderer Song aus dem gleichen Jahr mit ähnlicher Thematik ist *Yakety Yak,* interpretiert von den Coasters. Da befiehlt ein Erwachsener einem Teenie, dass er den Müll rausbringen, den Küchenfußboden schrubben und sein Zimmer aufräumen soll, sonst gibts Stubenarrest und kein Taschengeld. Die Antwort des Teenies lautet: *Yakety Yak,* frei übersetzt *Blablabla.* Darauf der Erwachsene: *Don't talk back! - Keine Widerrede!*

Harry Belafontes exotisch klingender *Banana Boat Song* avancierte in der BRD zum Sommerhit des Jahres 1957 und gleichzeitig zum Solidaritätslied für all jene, die des Nachts arbeiteten und anschafften. Mit der Textzeile *Work all night on a drink of rum – Schufte die Nacht durch mit nichts als 'nem Schluck Rum* wurde klar: ich bin nicht allein, auch der Dock-Arbeiter auf Jamaika muss sich des Nachts abplagen. Doch bei Tagesanbruch erwacht der Wunsch nach Hause zu gehen. *Daylight come and me wanna go home – Der Tag bricht an, und ich will heim.* Das passte irgendwie zum hemdsärmeligen bundesdeutschen Wirtschaftswunder. Und so seltsam es klingt, der Calypso-Sänger Belafonte brachte mit seinem jamaikanischen Volkslied ein gewisses unbeschwertes Feeling in die Alte Welt, die nun, zwölf Jahre nach Kriegsende, wieder in Ordnung war, so schien es jedenfalls. Doch noch ehe sich das Kalenderjahr dem Ende zugeneigt hatte, waren die junge Republik und einige ihrer prominenten Persönlichkeiten in einen handfesten Mord- und Sittenskandal verwickelt: die Tötung des Luxus-Callgirls Rosemarie Nitribitt, die bis heute nicht richtig aufgeklärt ist.

Noch bevor das neue Jahrzehnt seinen Anfang nehmen konnte, kam es zu einem tragischen Unfall: Die Rock'n'Roll-Musiker Buddy Holly *(Peggy Sue,* 1957), Ritchie Valens *(La Bamba,* 1958) und The Big Bopper *(Shantilly Lace,* 1958) kamen im Februar 1959 während einer gemeinsamen Konzerttour bei einem Flugzeugabsturz ums Leben. Dreizehn Jahre später thematisierte Don McLean dieses Ereignis in dem Song *American Pie* mit den Worten *The Day the Music Died.* – Im Juli 59 starb die einmalige Billie Holiday, auch Lady Day genannt. »Sie bleibt als Sängerin ein zeitloser Fixstern. Ihre Stimme hat alle Farben. Ihre Modulation ist unergründlich. Sie kann im Stehen swingen und sie kann einen Ton aufschwärmen lassen wie einen Sperlingsschwarm. Ist sie heiter, dann bricht sie das Licht in lauter kleine Strahlenfächer. Ist sie blue, dann taumelt sie herzzerreißend in Tiefen von geradezu existenzieller Schwere«[18]. *The Time When the Music Died.*

*

»Es gibt historische Augenblicke«, schreibt Tobias Rapp, »in denen sich Grundsätzliches ändert und die Grundlage für eine neue Epoche gelegt wird, Achsenzeit hat der Philosoph Karl Jaspers sie genannt. Auch die sechziger Jahre lassen sich als so eine Zeit sehen.« Ein neues Zeit-

18) Roger Willemsen

alter begann, ein gesellschaftlicher Kulturwandel, eine Epoche neuen Bewusstseins auf einer Bewusstseinsstufe, die wir heute die sechste beziehungsweise die grüne Stufe nennen. Deshalb definieren Bewusstseinsforscher die 60er Jahre auch als den Beginn der Postmoderne.

Kulturell gesehen begannen die Sixties mit Überraschungen. Die Beliebtheit von William Shakespeares Tragödie *Romeo und Julia* aus dem 16. Jahrhundert war ungebrochen und nun, 1957, wurde das Stück als Musical mit dem Namen *West Side Story* in unsere moderne Zeit transportiert. 1961 wurde die Verfilmung in den amerikanischen Kinos gezeigt, ein Jahr später auch in der BRD. Alles was das Leben zu bieten hatte wurde auf der Leinwand sichtbar: Liebe, Drama, Gewalt, Tod, Spannung, Ekstase, Tanz, Humor, Trauer – und dazu diese grandiose Jazz-Latin-Musik von Leonard Bernstein. Einer der elf eindrucksvollen Titel ist *America,* der u.a. von Trini Lopenz (als *A-me-ri-ca,* 1963) und The Nice (1968) gecovert wurde. – Chubby Checker landete 1960 mit *The Twist,* eine Cover-Nummer von Hank Ballard, in den USA und in England einen Hit, der auch in Deutschland Auswirkungen auf den Tanzstil hatte und »zu einem der wichtigsten Songs in der Geschichte des Rock'n'Rolls werden sollte: seine Wirkung ging weit

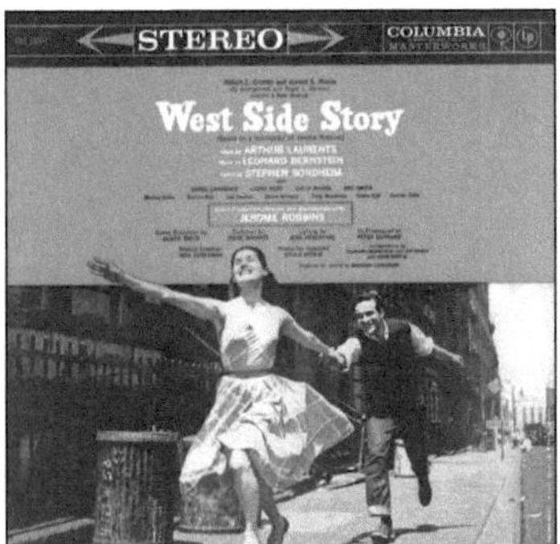

über die Grenzen der Jugendkultur und erreichte auch die Erwachsenen. [...] Der Tanz symbolisierte den gesellschaftlichen Wandel hin zu individueller Unabhängigkeit in prägnanter Weise: Die Tanzschritte werden an derselben Stelle im Raum getanzt, sind wiederholbar und der Twist ist ohne Tanzpartner oder -gruppe tanzbar.«[19] – Elvis Presley konnte derweil mit der gelungenen englischen Aufbereitung der neapolitanischen Kanzone *O Sole Mio* seinen größten internationalen Erfolg feiern: *It's Now or Never.* – Im selben Jahr - 1960 - prangerte der schwarze Sänger Sam Cooke mit dem eindringlichen *Chain Gang* die einst sklavenartige Zwangsarbeit an, die heute in ähnlicher verschleierter Form wieder praktiziert wird: Ausbeutung durch Lohndumping. – Mit *Take Five,* eine der bekanntesten und erfolgreichsten Jazz-Aufnahmen aller Zeiten, gelang es dem Dave-Brubeck-Quartet, eine ganz spezielle atmosphärische Zeitgeist-Stimmung einzufangen. Der Titel mit dem ungewöhnlichen 5/4-Takt wurde bereits 1959 auf dem Album *Time Out* veröffentlicht, aber erst mit der Single-Auskopplung 1961 kam der weltweite Erfolg.

Exkurs – Traumfabrik. »Kaum ein großes Symbol unserer Kultur kommt ohne einen unterschwellig anrüchigen Reiz aus – und im Falle von Blake Edwards' *Frühstück bei Tiffany* heißt dieser Reiz Audrey Hepburn. Ihre Darstellung des eine Spur zu leichten Mädchens Holly Golightly ist seit der Premiere des Films im Jahr

19) Retromania

1961 das Sinnbild der jungen Großstädterin, nicht nur in Manhattan, sondern überall auf der Welt.« Mit dieser Einschätzung liegt der Schriftsteller Stephan Wackwitz durchaus richtig; er schreibt über die Verfilmung von Truman Capotes gleichnamigem Kurzromans durch die Produktionsfirma Paramount Pictures aus Hollywood. Wir sehen eine Audrey Hepburn, die im Begriff ist, das ›Busenwunder‹ Marilyn Monroe als Sexsymbol abzulösen und als eine Art Vorläuferin von Mannequin Twiggy auftritt. In der Opening Scene des Films lugt Audrey am frühen Morgen in der Fifth Avenue von Manhattan vor dem hochpreisigen Juweliergeschäft Tiffany in die Schaufenster und konsumiert dabei ein Croissant und einen Coffee-to-go. Holly Golightly ist als armes Party-Girl, das sich von reichen Männern aushalten lässt, zwar aufgebrezelt, aber sehr elegant und stilvoll - um nicht zu sagen, bezaubernd. Sie sehnt sich nach Luxus und unbeschwertem High Live und - auch wenn es ihr schwerfällt das zuzugeben - nach Liebe (›Love is a four letter word‹). Außerdem möchte sie aber auch wissen, was am Ende des Regenbogens auf sie wartet. Im weiteren Verlauf der Tragikkomödie entblößt sie ihre Seele und singt einfach gekleidet den Song *Moon River*.

Moon river, wider than a mile, I'm crossing you in style some day, Oh, dream maker, you heart breaker, Wherever you're goin', I'm goin' your way – Mondfluss, mehr als eine Meile breit, Ich werde dich mit Stil überqueren, eines Tages, Oh, du Träumestifter, du Herzensbrecher, Wo auch immer du hin gehst, ich gehe mit dir.

Stephan Wackwitz führt weiter aus: »Und das ist die spannendste Lehre, die wir ziehen dürfen: Die frühen 60er Jahre, diese sträflich unterschätzte Zeit, bilden den historischen Ursprung all dessen, was uns als modern gilt. Damals haben sich die kulturellen Kontinentalplatten wahrscheinlich folgenreicher verschoben als in den rüpelhaften Jahren um 1968, auf die man gemeinhin alle Weltveränderung datiert. [...] Wenn wir uns in den ersten Bildern von *Breakfast at Tiffany's* verlieren, dann tauchen wir in unser klassisches Zeitalter ein. Um fünf Uhr früh, an der Fifth Avenue, dämmerte der moderne Hedonismus herauf. Die Frage ist, ob sich bereits die ersten Abendschatten darauflegen.« Doch auch die Lust auf das Abenteuer, das Verlangen nach dem Unbekannten bleibt – in Musik gebadet: *We're after the same, rainbow's end, waiting 'round the bend, My huckleberry friend, Moon River and me.* – *Wir sind auf der Suche nach dem selben Ende des Regenbogens, das hinter der Biegung auf uns wartet, mein Huckelberry-Freund, Mondfluss und ich.*

Eine Nacht in einer Kleinstadt des Jahres 1962 in Kalifornien. Wer heute noch einmal in die musikalische Welt der US-amerikanischen Teenager eintauchen möchte, braucht sich nur die Tragikomödie *American Graffiti* (US, 1973) von George Lucas anzuschauen. Der Film ist eine gelungene Reminiszenz an die typische Rock'n'Roll-Zeit der späten 50er und frühen 60er Jahre mit vielen Hits, wie z.B. *Only You* (1955) von den Platters oder *Runaway* (1961) von Del Shannon. –

Einen äußerst ungewöhnlichen Musikerfolg gab es im Mai 1962. Ein deutscher Schlager mit einem Drama als Text erklomm die Spitze der Single-Charts in der BRD. In *Heißer Sand,* akzentgefärbt gesungen von der Italienerin Mina, geht es um Mord und eine schicksalhafte Dreiecksverwicklung im Süden ihres Heimatlandes. Der eifersüchtige Tino ist in Nina verliebt, da es aber bereits eine (arrangierte?) Verbindung mit Nina und Rocco gibt, bringt Tino seinen Konkurrenten um. Nach der Entdeckung von Roccos Leiche muss Tino fliehen und geht mit der Fremdenlegion nach Algerien: *Heißer Sand und ein verlorenes Land, Und ein Leben in Gefahr, Heißer Sand und die Erinnerung daran, Dass es einmal schöner war.* Freiwillig oder gezwungenermaßen landet Nina in Hafen-Tavernen, wo sie mit Männern tanzt, die alles von Tino wissen, aber nicht drüber sprechen. Neben dem Text, dem Lesen zwischen den Zeilen und dem Wissen über das aktuelle politische Weltgeschehen, spricht auch das orientalisch-klingende Mandolinen-Solo für die vorstehende Interpretation. – Nachdem Ray Charles bereits Ende 1960 mit *Georgia on My Mind* und im Sommer 1961 mit *Hit the Road Jack* erfolgreich war, legte der »Hohepriester des Soul« ein Jahr später nach: *I Can't Stop Loving You* war auch in der BRD ein Top-Ten-Hit. – Die unvergleichliche Marlene Dietrich sorgte Ende des Jahres mit einem Anti-Kriegslied des Folk-Sängers Pete Seeger für Gänsehaut, für das Max Colpet einen deutschen Text verfasst hatte: *Sag mir, wo die Blumen sind.* – Als Gerry & the Pacemakers

1963 *You'll Never Walk Alone* aufnahmen, ahnten sie sehr wahrscheinlich nicht, dass sich dieses optimistische

Lied im Laufe der nächsten Jahre in Liverpool zu einem massentauglichen Festgesang entwickeln würde. Der ehemalige Musical-Song[20] aus dem *Great American Songbook* von 1945 wurde ein Single-Hit und später auch außerhalb der britischen Inseln von Fußballfans enthusiastisch gesungen. – Einen der ersten Frauen-Emanzipation-Songs sang die erst 17-jährige US-Sängerin Lesley Gore. *You Don't Own Me (Du besitzt mich nicht)* wurde allerdings nur in den USA ein Hit, in Europa wurde er kaum beachtet. – Die großen Tragödien aus gesellschaftspolitischer Sicht mit weitreichenden Folgen Anfang der 60er Jahre waren der Bau der Berliner Mauer (Aug. 1961) und die Ermordung von US-Präsident John F. Kennedy (Nov. 1963).

Obschon in den fünfziger Jahren Kinofilme wie *Die Sünderin* (DE, 1951) mit der Diva Hildegard Knef, *Das verflixte siebente Jahr* (US, 1955) mit Sexbombe Marilyn Monroe oder *Und immer lockt das Weib* (FR, 1956)

20) Urquelle aus dem Drama »Liliom« von Ferenc Molnár, Budapest 1909, geschrieben v. Richard Rodgers & Oscar Hammerstein II

mit Sexkätzchen Brigitte Bardot, freizügige Szenen enthielten, die in der Öffentlichkeit für Skandale und Empörung sorgten, blieb die Zeit bis zu den frühen 60er Jahren prüde und verklemmt. Callgirl Rosemarie Nitribitt hatte der spießigen Gesellschaft 1957 einen Spiegel vorgehalten und ihre Doppelmoral entlarvt. Doch noch immer gehörte Sittsamkeit zum Nachkriegs-Deutschland - genauso wie Gehorsam. Die Kids hatten ihre Träume und Sehnsüchte, wurden aber nicht (richtig) aufgeklärt. Über die Themen, die sie beschäftigten – Lust und Liebe, Erotik und Sex – tuschelte man nur hinter vorgehaltener Hand. Sex galt als schmutzig – eine Sünde. Das Wort *geil* machte damals schon die Runde, aber kaum jemand wagte es öffentlich auszusprechen. Da war der Rock'n'Roll eine Offenbarung für die Jugendlichen, weil die Liebe und besonders die Teenager-Liebe mit all ihren Facetten besungen wurde. Die Liebe lag damals noch nicht »breitbeinig, vergewaltigt im Dreck der Werbeindustrie«[21] , das passierte erst später, so ab den 1970ern. Dafür gab es in West-Deutschland seit 1961 die Antibabypille und noch kein Aids. Die »Freie Liebe« hatte gute Chancen sich zu entfalten; nicht nur in den USA. – Für die »Zerstörung der Illusion der anständigen, guten Gesellschaft«[22] sorgte 1963 Christine Keeler, Model und Partygirl der Upper-Class aus London. Nicht nur, dass der britische Kriegsminister ihretwegen zurücktreten musste, sie ließ sich auch nackt fotografieren während

21) Misha Schoeneberg

22) Gernot Kramper

sie rittlings auf einem Stuhl saß, dessen Rückenlehne dem Betrachter zugewandt war. Obwohl ihre intimen Stellen bedeckt waren, oder gerade deswegen, war die Aufnahme ein Knaller. Das Foto ist ein Kunstwerk der sinnlichen Verführung, ging um die Welt und steht heute als ein Symbol für diese Zeit – ein Meilenstein auf dem Weg zur sexuellen Revolution der 68er-Bewegung.

Noch in den ausgehenden fünfziger Jahren hatten zwei US-amerikanische Musikproduzenten das richtige Gespür, für das neue kommende Jahrzehnt den passenden Soundtrack mit den dazugehörigen Texten für die Jugend zu produzieren. Berry Gordy aus Detroit mit seinem *Motown*-Label war der eine. Gordy, selbst ein Schwarzer, produzierte ausschließlich schwarze Musiker. Es war kommerzieller, gutgemachter Soul, schwarzer Rhythm & Blues gemixt mit weißem Pop. Dank origineller Songwriter und der fantastischen Studioband The Funk Brothers, wurde das Label ungeheuer erfolgreich – *Hitsville USA*. Da gab es das Kreativ-Trio Holland-Dozier-Holland, das hauptsächlich für The Supremes arbeitete. Die Brüder Brian und Eddie Holland texteten, komponierten und produzierten zusammen mit Lamot Dozier viele phantastische Hits für die dreiköpfige Girlie-Group, wie z.B. *Baby Love* (1964), *Stop! In the Name of Love* (1965) oder *You Can't Hurry Love* (1966). Außerdem sangen für *Motown* in den 60ern noch The Miracles *(You've Really Got a Hold on Me,* 1962), Martha & the Vandellas *(Dancing in the Street,* 1964), The Temptations *(My Girl,*

1964), die Four Tops *(I Can't Help Myself,* 1965) u.a. In den 1970ern und später kamen so klangvolle Namen wie Stevie Wonder, Marvin Gaye *(What's Going On,* 1971), Lionel Richie und Michael Jackson hinzu. – Der andere Produzent hieß Phil Spector, der in den Gold Star Studios in Hollywood seine berühmte *Wall of Sound,* einen besonders vollen, bisweilen auch bombastischen Klang kreierte. Das war die erste Pop-Musik, die aber zu diesem Zeitpunkt noch nicht so genannt wurde. Einige der großen Spector-Hits waren Ben E. Kings *Spanish Harlem* (1960); von den Girlie-Groups The Crystals - *Then He Kissed Me* und von den *Ronettes - Be My Baby* und *Baby, I Love You,* alle drei Love-Songs erschienen 1963; die Righteous Brothers überzeugten mit *You've Lost That Lovin' Feelin'* (1965), ebenso der Titel *River Deep, Mountain High* von Ike & Tina Turner (1966). Eingespielt wurden die Songs in Los Angeles von The Wrecking Crew, eine Gruppe hervorragender Studio-Musiker in wechselnder Besetzung.

Jeder noch so kurze Text über Musik-Produzenten wäre wohl unvollständig, wenn nicht auch Jerry Wexler und Rick Hall darin Erwähnung finden würden. Jerry Wexler gilt als Erfinder des Begriffs Rhythm and Blues und war in den 50ern und 60ern für die Independent-Labels *Atlantic Records* in New York und *Stax Records* in Memphis tätig. Wexler arbeitete mit Musikern der *Stax*-Studio-Band Booker T. and the MG's *(Green Onions,* 1962) zusammen, sowie mit Soul-Interpreten wie Otis Redding, Aretha Franklin, Wilson Pickett (*In the Mid-*

night Hour, 1965), Percy Sledge *(When a Man Loves a Woman,* 1967) und vielen anderen. – *Do you like good music? That sweet soul music?* fragte Soul-Sänger Arthur Conley in dem groovigen Song *Sweet Soul Music* (1967), aufgenommen in den FAME Studios in Muscle Shoals in Alabama. Gründer dieser Studios war 1959 Rick Hall, ein Weißer, der auch schwarze Musik produzierte. Die Bezeichnung Soul als Genre wird auch als die Pop-Musik der Schwarzen bezeichnet und die Sixties als dessen klassische Ära. Der Soul jener rebellischen Zeit kann in zwei verschiedene Hauptrichtungen unterteilt werden: zum einen in den auch für weiße Ohren gefälligen, Mainstream tauglichen Soul der Plattenfirma *Motown,* zum anderen gab es den *Southern Soul* mit einem etwas raueren Stil, bei dem noch Einflüsse der traditionell-afroamerikanischen Wurzeln, wie die des Gospels herauszuhören waren. Das waren Produktionen von *Stax Records* aus Memphis, sowie die aus Alabama, von Rick Halls FAME Studios in Muscle Shoals oder aus dem gleich um die Ecke liegenden Muscle Shoals Sound Studio (MSSS) in Sheffield.

Als ein junger britischer Musiker aus Liverpool den Titel *Please Please Me* sang, war der Rock'n'Roll definitiv auch in England angekommen. Allerdings unter neuem Namen: Beat! Auch Mersey Sound genannt. Liverpool, die Hafenstadt an der Mündung des Mersey-Flusses in die Irische See im Nordwesten Englands war nach dem Zweiten Weltkrieg ein sozialer Brennpunkt. Hier entwickelte sich Ende der 50er, Anfang der 60er im Liverpooler Industriegebiet Merseyside eine lebendige Musikszene, und im legendären *Cavern Club* trat alles auf, was Rang und Namen hatte. Auch eine Gruppe, die später Musikgeschichte schreiben sollte: The Beatles. In dem Song *Please Please Me,* fordert Sänger John Lennon sein Mädchen auf: *I know you never even try, girl, Come on, Please please me, whoa, yeah, Like I please you* – *Ich weiß, du probierst es nie, Mädel. Komm schon, na komm, bitte erfreue mich, oh ja, so wie ich dich erfreue.* Das war 1963 einer der ersten großen Hits der Beatles, und es sollten noch viele folgen. So wie *She Loves You, Twist And Shout* und *I Want to Hold Your Hand* zum Jahreswechsel 1963/64, Titel, die in vielen Ländern die oberen Plätze der Charts belegten und den internationalen Ruhm der Pilzköpfe begründeten. Mit dem gitarrenlastigen Beat etablierte sich ein eigenständiger Rockstil in England. Dadurch büßte das Mutterland des Rock'n'Roll, die USA, seine musikalische Vormachtstellung der 50er Jahre ein, und es begann die Epoche der *British Invasion.* – Bevor Elvis Presley Anfang der 60er von der neuen Beat-, Pop- und Soul-Welle überrollt wurde, durfte er sich mit *(You're the) Devil in Disguise* und *Kiss Me Quick* noch über zwei beachtliche internationale Erfolge freuen.

Die vierköpfige Beat-Band The Beatles war vom Rock'n'Roll à la Elvis und Chuck Berry sowie vom *Motown*-Soul beeinflusst. Ebenso eine andere englische Gruppe, die Rolling Stones aus London, doch die verschrieben sich mehr den Roots dieser Musik, dem Blues, so wie z.B. Howlin' Wolf *(Little Red Rooster,* 1961), Robert Johnson *(Love in Vain,* 1937), Muddy Waters *(Mannish Boy,* 1955), Jimmy Reed *(Little Rain,* 1958), John

Lee Hooker *(Boogie Chillen,* 1948) oder B.B. King *(Three O'Clock Blues,* 1951) ihn spielten. – Andere schwarze Urgesteine des Blues waren z.B. der Musiker und Komponist W. C. Handy mit seinem *St. Louis Blues* (1914), oder die Sängerin Bessie Smith mit dem Song *Nobody Knows You When You're Down And Out,* der 1929 als Schellack-Platte erschien. – Doch der Schwarze Blues aus den USA war Anfang der 1960er nicht besonders populär. Das änderte sich allmählich durch Gruppen wie die Rolling Stones mit ihrem energiegeladenen Sound, allen voran deren Gründer Brian Jones, die in ihrer Anfangszeit auch alte Blues-Nummern coverten. Eine andere wichtige Gruppe war John Mayall & the Bluesbreakers. In der englischen Bluesband mit wechselnder Besetzung spielten so großartige Gitarristen wie Eric Clapton (später bei Cream), Peter Green (später bei

Fleetwood Mac) oder Mick Taylor (später bei den Rolling Stones). All diese weißen englischen Musiker schafften es ab Mitte der 60er Jahre eine neue Begeisterung für die Quelle des Rock'n'Roll - der Blues-Musik - zu entfachen. Zahlreiche schwarze, in die Jahre gekommene Blues-Veteranen aus den USA, die schon in Vergessenheit geraten schienen, erlebten eine Renaissance. – Ein wichtiges Platten-Label auf dem etliche Blues-Musiker (aber auch andere[23]) ihre Lieder rausbrachten, war *Chess-Records* in Chicago in den Jahren zwischen 1950 und 1975 mit dem überragenden Willie Dixon *(I Just Want to Make Love to You,* 1954) als Produzent, Songwriter und Musiker. Keith Richards, Gitarrist der Rolling Stones, unterstreicht die fulminante Bedeutung des Blues für die Rock-Musik mit den Worten: »Der Blues ist alles. Du wirst niemals richtig Rock'n'Roll spielen, wenn du nichts über den Blues weißt«, und bei einer anderen Gelegenheit zum selben Thema meinte Keith: »Es gibt nur einen Song, den haben Adam und Eva komponiert, der Rest sind Variationen.«

Wer Anfang der Sechziger angesagte Rock- & Pop-Musik hören wollte, konnte das in West-Deutschland vorzugsweise im Radio über die Soldatensender AFN, BFBS oder Radio Luxemburg, und auf der Kurzwelle über den britischen BBC. Darüber hinaus gab es auch noch Piratensender wie Radio Veronica (ab 1959) oder Radio Caroline (ab 1964). Später zog das Fernsehen nach, Musikshows wie *Ready Steady Go* (1963-66) im britischen TV und der

23) wie z.B. der Rock'n'Roller Chuck Berry

Beat-Club (1965-72) bzw. der *Musikladen* (1972-84) aus Bremen waren bei der Jugend äußerst beliebt.

Zu Beginn des Jahres 1964 veröffentlichte der Singer-Songwriter Bob Dylan die Langspielplatte *The Times They Are a-Changing* mit Protestsongs gegen Diskriminierung und Kriegstreiberei. Mit dem gleichnamigen Titelsong besingt der Autor die bevorstehende Aufbruchstimmung: *Come gather 'round people wherever you roam, And admit that the waters around you have grown, And accept it that soon you'll be drenched to the bone, If your time to you is worth savin', Then you better start swimmin' or you'll sink like a stone, For the times, they are a-changin'* – *Kommt zusammen, ihr Leute, wo immer ihr seid, Und gebt zu, dass das Wasser um euch herum gestiegen ist, Und seht ein, dass ihr bald bis auf die Knochen durchnässt sein werdet, Wenn euch eure Zeit etwas wert ist, Dann fangt besser an zu schwimmen, oder ihr werdet wie ein Stein untergehen, Denn die Zeiten ändern sich.* – Ein anderes wichtiges Lied produzierte der engagierte Sam Cooke mit *A Change Is Gonna Come (Eine Veränderung wird kommen)*, für die Bürgerrechtsbewegung in den USA. – »Wer im Radio den richtigen Sender wählte, konnte im Herbst mit etwas Glück den Klängen zweier besonders hörenswerter Songs lauschen: *The House of the Rising Sun* und *You Really Got Me*. Das erste Stück war ein Lagerfeuer-Lied mit Wurzeln aus den zwanziger Jahren, das von einem Bordell in New Orleans erzählt. »Das Unglaubliche – einen weißen Folk-Song rhythm & bluesigschwarz klingen zu lassen –, war einer englischen Band aus Newcastle gelungen; sie nannten sich The Animals, ihr Sänger hieß Eric Burdon. Er hatte sich *House of the Rising Sun* derart zu eigen gemacht, dass jeder von nun an glauben würde, die Version der Animals wäre das Original und alles andere eine Fälschung. Auch textlich war die Rotlicht-Moritat umgestaltet, Burdon sang aus der Perspektive des Trinkers, der sein ganzes Geld für Spiel und Suff und Sünde im Freudenhaus ließ. Doch seine Warnung ›Hey Mütter, sagt euren Jungs, sie sollen bloß nicht tun, was ich hier mach!‹, hörte sich nicht danach an, dass da ein reuiger Sünder aus dem Elend, das er mit kraftvollem Trotz besang, gerettet werden wollte. Vielmehr bewirkte die dunkel sexualisierte Stimmung, die auch durch das quere Orgelspiel von Arrangeur Alan Price unterstützte wurde, eine Neugierde auf dieses Haus, und der Song wurde durchweg als Anklage gegen eine verlogene Bigotterie interpretiert.«[24] Den zweiten Titel, *You Really Got Me,* hatte die Londoner Musikgruppe The Kinks aufgenommen: *Girl, you really got me goin', You got me so I don't know what I'm doin' now, You got me so I can't sleep at night'* – *Mädel, du hast mich echt in Wallung gebracht, Du hast mich so gepackt, ich weiß gar nicht mehr,*

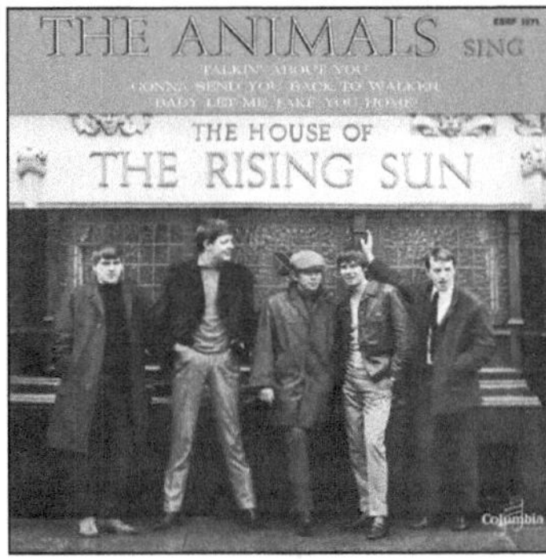

24) Misha Schoeneberg

was ich tue, Du hast mich so erwischt, dass ich nachts nicht mehr schlafen kann. Der Gitarren-Riff des Songs war wegweisend und inspirierte spätere Hard-Rocker, wie Heavy-Metal- und Punk-Rock-Gitarristen. – Der Herbst, bis hin zum Jahreswechsel 1964/65, wurde musikalisch von zwei Liedern aus den USA begleitet. Zum einen durch den Texaner Roy Orbison mit seiner Riff-betonten Rock-Nummer *Oh, Pretty Woman.* Der Sänger thematisiert die überwältigende Freude, die ihn beim Anblick einer schönen Frau überkommt, er kann es kaum glauben und bittet um Gnade, und irgendwann bleibt ihm als Höhepunkt seines Ausdrucks nur noch ein gutturales Gurgeln. Zum anderen war es Johnny Rivers, der mit dem Chuck Berry-Song *Memphis, Tennessee* für den musikalischen Jahresausklang sorgte, und in West-Deutschland den Sprung an die Spitze der Charts schaffte.

Der Vietnam-Krieg begann 1955 und wurde von den meisten Menschen in der westlichen Welt akzeptiert, schließlich galt es den Kommunismus in Südostasien einzudämmen. Erst als sich die USA Mitte der 1960er in die Kampfhandlungen einmischten und zusammen mit der Nationalen Befreiungsfront Südvietnams gegen die Demokratische Republik Vietnam im Norden kämpfte und die Kriegsbilder während der allabendlichen TV-Nachrichten in die Wohnzimmer der Menschen übertragen wurden, änderte sich das Bewusstsein in der Bevölkerung. Eine Art des Protestes bestand für Männer darin, die Haare wachsen zu lassen. Der kurzgeschorene

Schädel war immer noch das Zeichen für Autoritätshörigkeit und soldatische Disziplin, die langen Haare Zeichen einer ästhetischen Rebellion, die auch das Weiche, Feminine betonten. Auch rebellierende Mädels trugen ihr Haar meist lang, doch der Rocksaum wurde kürzer, rutschte langsam höher Richtung Hüfte und nackte Haut oder Feinstrumpfhosen aus Nylon wurden sichtbar.

Eine andere, neue Art des Protests waren die Rock-Musik-Texte im Jahr 1965: Die Rolling Stones kritisierten mit ihrem legendären *(I Can't Get No) Satisfaction (Ich kriege keine Befriedigung)* die Konsumideologie und damit den Kapitalismus. Dieser Titel richtete sich »...gegen die Bevormundung durch Erwachsene und gegen völlig durchstrukturierte, kommerzialisierte Lebensverhältnisse. Insofern wurde die Textzeile ›I can't get no satisfaction‹ zu einem wichtigen Protestschrei der 68er Bewegung«, schreibt Daniel Gäsche in seinem Buch *Born to be wild* und erklärt an anderer Stelle über das Lied der Animals *We've Gotta Get Out of this Place:* »Nichts wie weg, raus aus dieser Stadt, ein Ausbruch aus den festgefahrenen Lebensmustern, und wenn es das letzte wäre, was wir tun können. Das ist die unmissverständliche Botschaft der Animals. Es war ein Song gegen die Familie als Inbegriff des Spießigen und Autoritäten, die für viele mit Reihenhaus und Vorgarten assoziiert wurde.« – Song-Poet Bob Dylan schaffte es mit *Like a Rolling Stone* Poesie und Rock'n'Roll zu verbinden. Er sang über eine eingebildete arrogante Frau aus der Upper-Class, die obdachlos wird und fragte: *How does it feel, To be without a home, Like a complete unknown, like a rolling stone – Wie fühlt sich das an? Ohne Wohnung zu sein, Wie eine vollkommen Unbekannte, Wie eine Entwurzelte?* – Andere Missstände wie den Vietnamkrieg, die Atomkrieg-Bedrohung oder soziale Ungerechtigkeiten prangerte Barry McGuire in dem verzweifelt gesungenen Protestsong *Eve of Destruction (Vorabend der Zerstörung)* an. – Der »King of Soul«, Otis Redding, thematisierte mit *Respect* den Umgang zwischen den Geschlechtern – die Coverversion von der »Queen of Soul«, Aretha Franklin, zwei Jahre später wurde zu einem Loblied der Frauenbewegung. – Mit *My Generation* von The Who wurde es wieder sozial-politisch, leicht ironisch-gestottert sangen sie: *People*

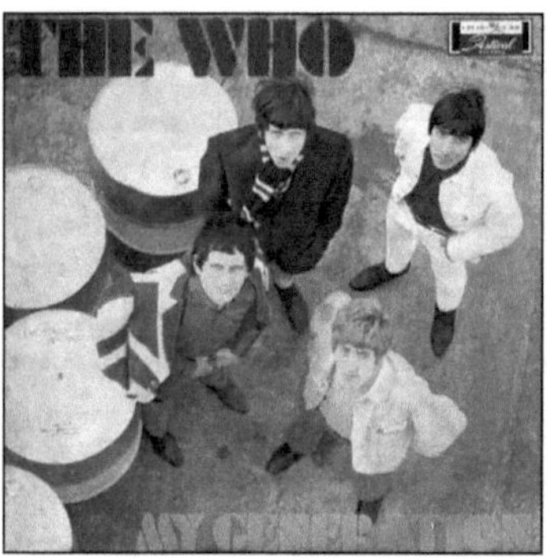

try to put us down, Just because we get around, Things they do look awful cold, I hope I die before I get old, Talkin' 'bout my generation. – Leute wollen uns niedermachen, Bloß weil wir was anders machen, Für sie bleibt alles grau und kalt, Da bin ich lieber tot als alt, Hört her, das ist unsere Zeit! – In den Kinos sorgte die groteske Western-Satire *Viva Maria!* von Louis Malle mit Brigitte Bardot und Jeanne Moreau in den Hauptrollen nicht nur für Heiterkeit; Revolution gegen Diktatoren in einem fiktiven Staat war das Thema.

Die rebellische Rock-Musik der vergangenen zehn Jahre (1955-1965) hatte Auswirkungen auf Kultur und Gesellschaft. Doch der Protest von überwiegend jungen Menschen ging weiter und kulminierte in der Gegenkultur der Hippies. Von San Francisco ausgehend gab es weltumspannend die Flower-Power-Bewegung zwischen 1965 und 1971. Durch die entfesselten Energien einer besonderen Zeitqualität konnten sich Phänomene wie Rebellion, Spontaneität, Enthusiasmus, Kreativität, Träume, Visionen und Utopien unmittelbar frei entfalten – »Seien wir realistisch, versuchen wir das Unmögliche«[25]. Das Experimentieren mit (illegalen) Drogen wie Cannabis oder LSD war angesagt – »Turn on, tune in, drop out!«[26] (»Zieh dir was rein, bring' dich drauf, steig aus!«) Die veränderten Moralvorstellungen mündeten in der sexuellen Revolution; die »Freie Liebe« – nicht nur die körperliche – begann immer mehr aufzublühen. »Sex, Drugs & Rock'n'Roll« – Bohémiens, Hedonisten, Freaks und Nonkonformisten pflegten in diesen Jahren und auch später noch diese Möglichkeiten der Ekstase, die schon in ähnlicher Weise bereits im 18. Jahrhundert zelebriert und damals mit »Wein, Weib und Gesang« beschrieben wurde. – Mitte der 60er bezeichnete man in der BRD Außenseiter mit langen Haaren als Gammler.

25) von Che Guevara, ein marxistischer Revolutionär und Guerillaführer, u.a. Mitglied der Rebellenarmee der Kubanischen Revolution

26) von Timothy Leary, ein US-amerikanischer Psychologe, Autor und »Guru« der Hippie-Bewegung

Ein Gammler, der was auf sich hielt, lebte die totale Verweigerungshaltung gegenüber den Normen von Staat und Gesellschaft und tat entweder gar nichts, oder nur das, wozu er gerade Lust hatte. Mark Twains literarische Figur von 1876, Huckleberry Finn, lässt grüßen.

Exkurs - Auf den Spuren von Pet. Als der britische Songwriter Tony Hatch im Herbst des Jahres 1964 in New York weilte und über den Times Square spazierte, kam ihm die Idee zu einem Pop-Song, der die bunten Lichter und die lebendige Betriebsamkeit im Zentrum einer abendlichen Millionen-Metropole zum Ausdruck bringt. Durch die Teilnahme am quirligen Großstadtleben könnten einsame oder alleinstehende Menschen mit Problemen und Sorgen auf andere Gedanken kommen, so die Überlegung von Tony Hatch für einen passenden Songtext. *So go downtown, Things will be great when you're downtown, Don't wait a minute more, downtown, Everything is waiting for you, downtown – Also geh ins Zentrum, Die Dinge werden großartig sein, wenn du in der City bist, Warte keine Minute länger, Alles wartet auf dich, in der Innenstadt.* Mit großem Orchester und der englischen Sängerin Petula Clark wurde der Song im Oktober in London aufgenommen; zum Jahresende bzw. Anfang 1965 entwickelte sich *Downtown* zu einem Welthit. – Der kanadische Ausnahme-Pianist Glenn Gould ist hauptsächlich durch seine einzigartigen Interpretationen der Kompositionen von Bach und Beethoven bekannt. Gould, nicht ganz zu unrecht auch »puritanischer

Ekstatiker« genannt, hörte damals im Autoradio Songs von Pet, wie er Petula Clark auch nannte, und begann darüber nachzudenken. 1967 manifestierten sich Glenn Goulds Gedanken im Zuge seiner Sounddokumentationen, die er »kontrapunktisches Radio« nannte, u.a. wie folgt: »Das ›In‹-Sein der Beatles im Verhältnis zum relativen ›Out‹-Sein Petulas läßt sich unter den gleichen Voraussetzungen und als Bestandteil jenes gleichen Statusstrebens diagnostizieren, das Lennie Tristanos ›G minor Complex‹ geheimnisvoll macht, Francis Poulencs ›Orgelkonzert‹ in der nämlichen Tonart banal, die Dichtung der Iglulik-Eskimos fesselnd, Jean Sibelius' ›Tapiola‹ langweilig, und das jene, denen es an Selbstvertrauen mangelt, Bentleys kaufen läßt. Doch für Tony Hatch ist die Tonalität keine schöpferische Ader. Sie ist eine lebendige und stetige Quelle produktiver Energie mit Prioritäten, die Aufmerksamkeit verlangen und diese von ihm auch bekommen. ›Downtown‹ ist die affirmativste diatonische Ermunterung in E-Dur, seit das unwahrscheinliche Team Felix Mendelssohn Bartholdy und Harriet Beecher Stowe Talente vereinte für *Still, still, with Thee, when purple morning breaketh, When the bird waketh and the shadows flee…«*[27] Pet und Glenn sind sich nie begegnet. – Und *Downtown* hatte Langzeitwirkung und noch sieben Jahre später seine Fans. Der gebürtige Hamburger Journalist Jan Feddersen, bekennender Homosexueller, erinnert sich an das Jahr 1972: »Ich stand zu der Zeit

27) eine Anspielung auf ein Gedicht von Beecher Stowe in der Vertonung von Mendelssohn Bartholdy

schon eher auf Glam. Petula Clark war für mich extrem wichtig, ihr Haarspray subversiv, und ›Downtown‹ ein radikaler Song. Er wurde von Schwulen produziert und hatte keine andere Aussage als: Krieg deinen Arsch hoch und geh in die Stadt. Ich wollte nie ins bürgerliche Eppendorf, ich wollte ins Licht, nach St. Pauli zum Beispiel.«

Passend zum Zeitgeist wurde in den USA 1965/66 originelle Pop-Musik produziert. Den Anfang machte Nancy Sinatra zu Beginn des Jahres 1966 mit ihrem Emanzipations-Hit *These Boots Are Made for Walking,* der der Frauenbewegung zusätzlichen Schwung verlieh. Selbstbewusst, im sexy Outfit, mit Minirock und Stiefeln, sang Nancy über einen untreuen und lügenden Kerl, dem sie droht mit ihren Boots einen Arschtritt zu versetzen. – Es folgten das sehnsuchtsvolle *California Dreamin' – on such a winter's day* von The Mamas and the Papas und im jahreszeitlichen Gegensatz dazu der *Summer in the City* von den Lovin' Spoonful. – Die Folk-Rock Nummer *Mr. Tambourine Man* von den Byrds, eine verkürzte Version von Bob Dylans Original mit surrealen Bilderwelten, war die amerikanische Antwort auf die *British Invasion.* – Die Beach Boys brachten im Mai 1966 die LP *Pet Sounds* heraus, eines der einflussreichsten Alben der Rockgeschichte, »...die behandelten Themen wie Kindheit, Verlust der Unschuld, erwachsene Gefühle, Träume, Ängste und Liebe fanden ein breites Interesse...«.[28] Im

28) Daniel Gäsche

Oktober entstand mit *Good Vibrations* eine knapp vierminütige Taschensinfonie auf einer Vinyl-Single; ein Geniestreich von Brian Wilson, dem kreativen Kopf der Beach Boys: *I'm pickin' up good vibrations, She's giving me the excitations. Gotta keep those lovin' good vibrations a-happenin' with her – Ich ergreife die guten Gefühle, die ich bei ihrem Anblick spüre. Will diese Schwingung halten, so dass wir uns in Liebe entfalten.* – Der begnadete Sänger Frank Sinatra, einst als »Frankie Boy« Teenager-Idol der vierziger Jahre, war zwar ein Antirassist und Bürgerrechtler, verteidigte aber als Patriot den Vietnam-Krieg und lehnte die rebellische Jugendkultur der Sixties ab. »The Voice« war als Smoking-Träger mit Fliege eher ein Vertreter des bürgerlichen Establishments als ein Hippie. Doch seine Interpretation von *Strangers in the Night* drückte die Hoffnung der Verführung aus und traf als Sommerhit des Jahres den Nerv der Zeit; besonders in hedonistischen Künstlerkreisen kam der Song gut an: *Strangers in the night, exchanging glances, wondring in the night, what were the chances, we'd be sharing love, before the night was through? - Fremde in der Nacht, wir tauschten Blicke aus, wir fragten uns in der Nacht, wie steh'n die Chancen, dass wir miteinander die Liebe teilen, bevor die Nacht vorüber ist?* Das Stück ist heute ein Evergreen. Die

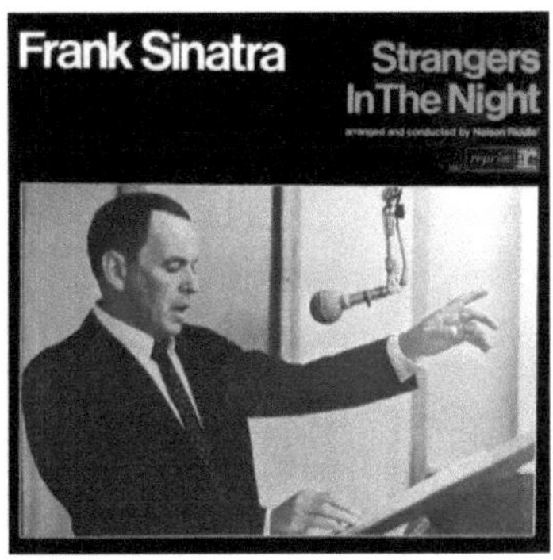

Schluss-Sequenz der Aufnahme mit dem unvergessenen »Dubidubidu«-Fadeout wurde zum Dada-Kult: »To be is to do«, Sokrates / »To do is to be«, Sartre / »Do be do be do«, Sinatra. – Nachdem Lee Dorsey bereits 1961 mit *Ya Ya* erfolgreich war, legte er in diesem Jahr mit *Working in the Coal Mine,* einem kritischen Song über die schwere Arbeit beim Kohlebergbau, nach.

Die *British Invasion* war 1966 kreativ wie selten. Die Gruppe Them, mit Van Morrison als Sänger, veröffentlichte *It's All Over Now, Baby Blue,* eine melancholische Nummer von Bob Dylan, der mit seinen Songs inzwischen zum Sprachrohr der Protestbewegung geworden war. – Über erotisch-ekstatisches Tanzen in einer Diskothek ging es in *Stop Stop Stop* von den Hollies mit einem ungewöhnlich treibenden Banjo. – Mit *Gimme Some Lovin'* wurde es stürmisch, *Gib mir'n bisschen Liebe, jeden Tag,* forderte die Spencer Davis Group mit dem bemerkenswerten Titel mit dem Hammer-Drive. – Die Kinks sangen über die Armut in den sozial unterprivilegierten Schichten der Gesellschaft in *Dead End Street: Dead end! People are living on dead end street! - Sackgasse! Die Menschen leben in einer Sackgasse!*

Ende des Jahres 1966 kam der geheimnisvolle britische Kult-Film *Blow Up* von Michelangelo Antonioni in die Kinos, in dem die Yardbirds mit *Stroll On* einen atmosphärisch-dichten Kurzauftritt haben. Die Handlung spielt im London der Swingin' Sixties, jene Ära, die außer für Coolness, persönliche Freiheit und Beat-musik auch für einen neuen Modetrend steht. Fotomodel Twiggy, Typ Kindfrau, dünn, mit Minibusen und Kurzhaarschnitt, brachte den von Modedesignerin Mary Quant erschaffenden Minirock auf die Laufstege. – Ein anderer Modeartikel konnte bereits ein Revival feiern. Brian Hyland hatte schon 1960 mit seinem Welthit *Itsy Bitsy Teenie Weenie Yellow Polka Dot Bikini* einen Verkaufserfolg für eine knappe zweiteilige Badebekleidung für Frauen ausgelöst. *Es war ein klitzekleiner, winziger, gelb gepunkteter Bikini.* Der Boom hielt aber nicht lange an. Erst Mitte der Sechziger erinnerten und trauten sich die Frauen, am Strand ihrem Wunsch nach möglichst wenig Stoff an ihren Körpern erneut nachzugeben und den Bauchnabel freizulegen. »In den sechziger Jahren etwa, in der Phase der sexuellen Befreiung, war der Bikini für einige ein Kampfmittel. Frauen, die linksliberal dachten, hatten zwei Kleidungsstücke ganz bestimmt im Schrank: den Minirock und den Bikini«[29] – Erotik als Spiel der Leidenschaft.

Auch in Down Under tat sich etwas in Sachen Rock- & Pop-Musik. Neben den soft-poppigen Songs der Bee Gees, die Ende 1967 mit *Massachusetts* ihren größten Erfolg feierten, gab es noch die Beat-Band The Easybeats, die sich Ende 66/Anfang 67 mit ihrem fetzigen *Friday on My Mind* in den oberen Charts-Positionen vieler Länder etablieren konnte, auch in West-Deutschland. Der zum besten australischen Song aller Zeiten gekürte Titel, erzählt von einem zentralen Thema vieler Jugend-

29) Beate Berger

licher, der großen Sehnsucht während der Arbeitstage auf ein bevorstehendes freies Wochenende und das fängt bekanntlich Freitagnachmittag an: *I've got Friday on my mind, Gonna have fun in the city, Be with my girl, she's so pretty, - Ich hab den Freitag im Sinn, Ich werd' Spaß in der Stadt haben, mit meinem Mädchen zusammen sein, sie ist so hübsch.*

1966 - für Jon Savage ist besonders dieses Kalenderjahr wichtig: »Was sich 1966 ereignete, war das Ende der Single. Schon im nächsten Jahr verkauften sich Alben besser als Singles. Die Drogenkultur führte dazu, dass die Musiker mehr ausprobierten und vielleicht auch ein bisschen zügellos wurden. Es gab außerdem viele Stile und Nischen – was gut für das Album als Tonträger war. Es formten sich Gegenkulturen, was bedeutete, dass Jugendliche ihre eigenen Werte entwickelten und gegenüber herrschenden Vorstellungen ausdrücken konnten – etwa in Form von Protesten. Und außerdem war es ein Jahr, in dem Freiheit ganz wichtig war. Es gab außerdem Entwicklungen in der Bürgerrechtsbewegung, genauso in der Frauenrechtsbewegung und Entwicklungen in der Schwulenbewegung, die jedoch noch immer weitgehend im Dunkeln liegen.«

Der Protest gegen den Vietnam-Krieg – »Make love, not war« – wurde immer stärker und mobilisierte inzwischen Millionen auf der ganzen Welt, woraus letztlich die 68er-Bewegung hervorging. Der Philosoph Herbert Marcuse, einer der geistigen Väter der Studentenbewegung in aller Welt: »Als ich an den Demonstrationen gegen den Vietnam-Krieg teilnahm, als die Lieder von Bob Dylan (z.B. *Blowin' in the Wind* oder *Masters of War,* 1963) gesungen wurden, hatte ich das begrifflich schwer zu bestimmende Gefühl, dass dies die einzig revolutionäre Sprache ist, die uns heute noch bleibt.« – Die meisten unterdrückten Afroamerikaner der USA solidarisierten sich in der Bürgerrechtsbewegung um Martin Luther King, musikalisch begleitet von der »Hohepriesterin des Soul«, Nina Simone *(Mississippi Goddam,* 1964) und anderen. – Der Aktionskünstler Joseph Beuys brachte den Vietnam-Krieg und die NS-Vergangenheit zur Sprache und lehrte die radikale freie Selbstbestimmung: »Jeder Mensch ist ein Künstler.«

Hunter Thompson, Begründer des Gonzo-Journalismus und einer der kompetentesten Sprecher der amerikanischen Gegenkultur: »San Francisco Mitte der sechziger Jahre – ein ganz besonderer Ort und eine ganz besondere Zeit, wenn man daran teil hatte. Vielleicht geschah etwas von Bedeutung. Vielleicht auch nicht, auf lange Sicht betrachtet reicht aber keine Erklärung, keine Collage von Wörtern oder Musik oder Erinnerungen an jenes Gefühl heran, zu wissen, dass man dabei war, dass man jenes Eckchen der Zeit und Welt leibhaftig mit erlebte. Was immer es bedeutete. [...] Es herrschte dieses fantastische universelle Gefühl, alles, was wir taten, sei richtig, ... kein Zweifel, wir würden gewinnen... Und das, glaube ich, war der Haken - dieses Gefühl, der Sieg über die Mächte des Alten und des Bösen sei unausweichlich. Ein Sieg, ganz und gar nicht auf niederträchtige oder militante Weise: Das hatten wir nicht nötig. Es würden sich ganz einfach unsere Energien durchsetzen. Es hatte keinen Zweck zu kämpfen – weder auf unserer noch auf ihrer Seite. Hinter uns stand die Naturgewalt; wir ritten auf dem Kamm einer hohen und wunderschönen Welle...«

»Am Nachmittag des 14. Januar 1967 kommen im Golden Gate Park im kalifornischen San Francisco an die 30.000 junge und junggebliebene Rebellen und Zivilisationsmüde zum ersten ›Human Be-In‹ zusammen: von den Beatniks der Fünfzigerjahre über Hippies bis zu maoistischen Studierenden.«[30] Das war der Beginn des *Summer of Love*. Eine magische Energie lag in der Luft – ein einzigartiger Spirit. Alles war bunter geworden; eine langhaarige Gegenkultur offenbarte sich »...in fernöstlichen Kleidern, ausgeflippten Lichtshows und visionären Konzertplakaten.«[31] Das Thema »Freie Liebe« war allgegenwärtig. Dazu passend leiteten die Rolling Stones das Jahr musikalisch mit *Let's Spend the Night Together* ein. Grace Slick, die Sängerin von Jefferson Airplane fragte in dem Song *Somebody to love: Don't you need somebody to love? – Brauchst du nicht jemanden zum lieben?* Gefolgt von dem Psychedelic Rock-

30) Udo Zindel

31) Mike Evans

Song *White Rabbit,* dessen Text sich auf Inhalte der Kinderbücher von Lewis Carroll bezieht[32] und auf psychedelische Drogen anspielt. – Einen indirekten Drogenbezug hatte auch der entspannt-verträumte Flower-Power-Song *Groovin'* von den Young Rascals. – Zwei der schönsten Love-Songs des Jahres wurden im April und Mai veröffentlicht: das von dem *Motown*-Label produzierte Soul-Duett *Ain't No Mountain High Enough* von Marvin Gaye & Tammi Terrell, sowie *Can't Take My Eyes Off You* von Frankie Valli[33], das Lied mit der markanten Bläserhookline. – Auch ein Großmeister der klassischen Musik inspirierte die Pop-Musiker. Procol Harums kryptisch-surrealistisches an »Air« von Johann Sebastian Bach orientiertes *A Whiter Shade of Pale,* mit der unvergleichlichen Hammond-Orgel, avancierte zum Sommerhit. – Das Monterey Pop Festival, das im Sommer in Kalifornien stattfand, war so etwas wie der musikalische Startschuss zur Kultur der Blumenkinder. Die »Trash-Lady« Janis Joplin *(Ball 'n' Chain)* »schaffte als Leadsängerin ihrer Band, Big Brother and the Holding Company, bei diesem Festival den Durchbruch. In ihren Texten kämpfte Joplin für Gleichberechtigung der

32) z.B. »Alice im Wunderland«

33) Frankie Valli war auch Mitglied der Popgruppe *The Four Seasons*

Frauen im Drogenrausch, im Singen und in der Sexualität.«[34] – Der Titel *San Francisco,* gesungen von Scott McKenzie, wurde zu DEM angesagten Song in der Szene: *All across the nation, Such a strange vibration, People in motion, There's a whole generation, With a new explanation* – *Überall im Land, So eine seltsame Schwingung, Menschen in Bewegung, Eine ganze Generation, Mit einer neuen Erklärung.* – Die Song-Texte der Beatles wurden persönlicher, mit mehr Tiefgang. Unter der instrumentalen Einleitung der *Marseillaise* sang John Lennon die Hippie-Botschaft des Jahres: *All You Need Is Love.* Außerdem kreierten die »Fab Four« eines der bedeutendsten Konzept-Alben der Pop-Geschichte. *Sgt. Pepper's Lonely*

Hearts Club Band, produziert von George Martin, mit *A Day in the Life* als bewegendem Schluss-Song. Die LP wird heute als »Monument des Pop« bezeichnet; zum ersten Mal wurden die Songtexte auf einem Platten-Cover abgedruckt. – Auch die Small Faces aus London waren in Bestform. Mit dem Konzept-Album *Ogdens' Nut Gone Flake* und Hits wie *Itchycoo Park* und *Tin Soldier* setzte die vier Mann starke Band um Sänger Steve Marriott musikalische und textliche Maßstäbe. – Zwei Perlen des Psychedelic Rock schufen die Formationen Vanilla

34) Daniel Gäsche

Fudge mit *You Keep Me Hangin' On*[35] und Pink Floyd mit *See Emily Play.* – Gegen Ende des Jahres 67 feierte das Musical *Hair* in New York seine Uraufführung, in dem der Vietnam-Krieg kritisiert wurde. Eric Burdon & The Animals von der britischen Insel waren mit diesem Krieg ebenfalls nicht einverstanden und sangen als »Love-Generation« in dem Hippie-Song *San Franciscan Nights*:

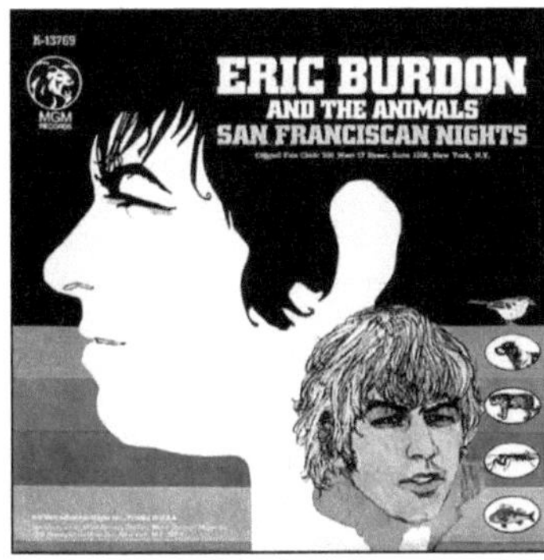

Strobe light's beam, creates dreams. Walls move, minds do too, on a warm San Franciscan night. Old child, young child, feel alright, on a warm San Franciscan night. – *Stroboskoplichter strahlen, erschaffen Träume. Wände bewegen sich, Ansichten auch, in einer warmen Nacht in San Francisco. Altes Kind, junges Kind, fühlen sich gut in einer warmen Nacht in San Francisco.*

Martin Luther King hielt im April 1967 in New York eine öffentliche Rede, in der er über den Vietnam-Krieg sagte: »Diese Art von Beschäftigung, menschliche Wesen mit Napalm zu verbrennen, die Häuser unserer Nation mit Waisen und Witwen zu füllen, giftigen Hass in die Adern von Menschen zu spritzen, die sich normalerweise ganz menschlich verhalten, Männer von finsteren und blutigen Schlachtfeldern, körperlich ver-

35) im Original von den *Supremes*

krüppelt und seelisch aus dem Gleichgewicht gebracht, nach Hause zu schicken - diese Beschäftigung kann nie und nimmer mit Weisheit, Gerechtigkeit und Liebe in Einklang gebracht werden. Ein Volk, das Jahr für Jahr mehr Geld ausgibt für militärische Verteidigung als für Sozialprogramme, gerät in die Nähe des geistigen Todes.«

Exkurs – Global Music. Einige Lieder, die im weitesten Sinne dem Genre Weltmusik oder der Bezeichnung »Traditional« zugeordnet werden können, waren schon in der Vergangenheit bekannt geworden und trotz oder wegen ihres exotischen Touchs sogar bis in die oberen Plätze einiger Länder-Charts vorgedrungen. Neben den bereits erwähnten *'O Sole Mio* aus Italien (bekannt als: *It's Now or Never,* 1960) und dem jamaikanischen Volkslied *Day Dah Light* (bekannt als *Banana Boat Song,* 1957), waren dies zum Beispiel:

- das mexikanische *Bésame Mucho* von Jimmy Dorsey & his Orchestra von 1944 über den Kuss als magischer Moment, das auch die Beatles in ihrer Anfangszeit gecovert hatten,
- die vom Österreicher Anton Karas auf der Zither gespielte Instrumentalmusik *Harry Lime Thema* aus dem Film *Der dritte Mann,* die 1950 Weltruhm erlangte,
- *La Bamba,* ein mexikanisches Volkslied aus dem 17. Jahrhundert, das Ritchie Valens 1958 zum Hit machte,

◆ das Chanson *Milord* (1959/60) vom »Spatz von Paris« Édith Piaf,

◆ das aus Südafrika stammende *The Lion Sleeps Tonight* (1961/62) als Doo Wop-Version von den Tokens,

◆ aus Japan kam der Liebeskummer-Song *Sukiyaki* (1963) von Kyū Sakamoto,

◆ die entspannte Bossa Nova-Nummer *The Girl From Ipanema* (1963/64) über eine Strandschönheit aus Brasilien, gesungen von Astrud Gilberto,

◆ die Single *Dominique* (1964) von Sœur Sourire, einer französisch singenden Nonne aus Belgien, die ein Lied über den heiligen Dominikus sang und damit auf Platz Eins der US-amerikanischen Charts landete - alles schien möglich in dieser Zeit,

◆ der griechische Komponist und Widerstandskämpfer Mikis Theodorakis schrieb 1965 mit *Zorba's Dance* ein Instrumentalstück zu dem bis heute auf der ganzen Welt Sirtaki getanzt wird,

◆ mit *Guantanamera* wurde ein altes nachdenkliches Lied aus Kuba 1966 von dem Folk-Trio The Sandpipers in die westliche Welt getragen;

◆ 1967 erlebte die Weltmusik eine Renaissance, zum einen durch den Beatle George Harrison mit seinem indisch inspirierten *Within You Without You,*

◆ zum anderen durch Miriam Makeba, alias »Mama Afrika«, und ihren grandiosen Tanzsong *Pata Pata,*

◆ ein Jahr später war es die britische Sängerin Mary Hopkin, die eine alte russische Zigeunerromanze weltbekannt machte: *Those Were the Days,* ein Song über die Endlichkeit des Lebens.

Rockmusiker aus europäischen Nachbarländern mit Erfolgen in der BRD waren u.a. Herman Brood aus Holland, Adriano Celentano aus Italien und Johnny Hallyday aus Frankreich.

DIE Hippie-Live-Band jener Epoche war The Grateful Dead *(Cream Puff War,* 1966), die in Haight Ashbury, dem hippen Stadtteil von San Francisco und Zentrum der Protestbewegung, als Kommune zusammen lebte. Die Schattenseiten der Hippie-Kultur, wie Sucht durch

Drogenmissbrauch und Prostitution oder das Phänomen Sadomaso thematisierten Velvet Underground auf ihrem düsteren Album *The Velvet Underground & Nico* mit dem Bananen-Cover von Pop Art-Künstler Andy Warhol; bekanntester Song der Kult-LP ist *I'm Waiting for the Man* (1967).

Politische Schlagzeilen 1967: Im April wurde dem schwarzen US-amerikanischen Schwergewichtsboxer Muhammad Ali der Weltmeistertitel aberkannt, weil er seine Einberufung zum Militär ablehnte und nicht in

Vietnam kämpfen wollte – der Anfang seines Aufstiegs zu einem Symbol der Gegenkultur. – Am 2. Juni wurde in West-Berlin bei einer Demonstration gegen den Schah von Persien der Student Benno Ohnesorg von einem Polizisten erschossen. Der gezielte Schuss in den Hinterkopf erfolgte aus kurzer Distanz und ohne konkreten Anlass; damit begann in der BRD die (radikale) Politisierung der Szene. – Der gewaltsame Tod von Guerillaführer Che Guevara im Oktober in Bolivien »machte ihn zu einem Märtyrer linker Unabhängigkeits- und Befreiungsbewegungen in der ganzen Welt.«[36]

Exkurs – Film Neo-Noir. »Man kann sagen, dass die gesamte Atmosphäre des Films Rückschlüsse zulässt auf die Zeit, in der der Film entstanden ist – eine kalte, gefühllose Welt des Übergangs, in der überkommene Strukturen, Mentalitäten und Umgangsformen ihrem Ende entgegengehen, aber nur weil sich andere gegen das Überkommene aufbäumen. Diese Welt scheint über ihr Ende hinaus zu wuchern, im Todeskampf zu liegen. Man wehrt sich gegen Änderungen, Neuerungen, indem man den alten Pfaden einfach weiter folgt«, schrieb der Filmkritiker Ulrich Behrens über den französischen Unterwelt-Film *Le Samourai*, der im Herbst 1967 in Frankreich Premiere hatte. In Deutschland kam der kommunikationskarge, melodramatische Krimi ein knappes Jahr später unter dem Titel *Der eiskalte Engel* in die Kinos. Regisseur Jean-Pierre Melville setzte seinen zwielich-

36) Wikipedia

tigen Helden gekonnt in die Szene einer tristen Halbschattenwelt. Unterstützt von kühlen elektronischen und leicht jazz-gefärbten Klängen von François de Roubaix, spielte Alan Delon als Auftragskiller die Rolle seines Lebens. Durch sein minimalistisches Schauspiel erreichte er ein Maximum an Coolness, wenn auch absolut kalt und herzlos. So fragt man sich, ob dieser Filmklassiker als eine Art sinnbildhafte Parallelerscheinung zu den Motiven der 68er-Bewegung gesehen werden kann? Denn Melville »drückt sich in seinen Gangsterfilmen aus, in deren düsterer, trostloser Welt individuelle Ehre als Maßstab für Integrität erscheint. Der kleinbürgerliche Charakter dieser anarchistischen Revolte gegen die kapitalhörige bürgerliche Gesellschaft ist offenkundig. Seinen Helden geht es um die Verwirklichung ihres Lebensstils als Außenseiter, nicht um den Gewinn aus einem Coup. Sie sind antibürgerlich in ihrem chevaleresken Ehrenkodex und ihrer Verachtung für den plumpen Materialismus des Bürgertums. Sie streben nicht nach Reichtum, um ein bürgerliches Leben zu führen, sondern verwirklichen sich in der Gefahr, und der Gewinn aus einem Coup dient zum Leben außerhalb der bürgerlichen Gesellschaft.«[37]

Das viel zitierte Jahr 1968 – heute gilt es als »Mythos« oder als eine Art »Chiffre 68« – kam musikalisch gesehen gut aus den Startlöchern. Vier Songs der Extraklasse wurden zwar schon Ende 1967 aufgenommen, aber

37) Ronald Hahn, Volker Jansen

erst Anfang des folgenden Jahres bekannt bzw. veröffentlicht: *What a Wonderful World,* ein Öko-Song und Liebeslied an die Welt, gesungen von dem unverwüstlichen Louis Armstrong; die Bluesrock-Single *Sunshine of Your Love* von der britischen Supergroup Cream, mit einem versponnenen Liebestext; der Titel *(Sittin' On) The Dock of the Bay* von Otis Redding zum Thema Ausweglosigkeit; und, von der Band Manfred Mann, der Bob Dylan-Song *Mighty Quinn,* über einen wundersamen Eskimo. – Mit *The Unkown Soldier* protestierten die Doors im März eindrucksvoll gegen den Vietnam-Krieg. – Im Mai lieferten die Rolling Stones mit *Jumpin' Jack Flash* einen der besten Rock-Songs aller Zeiten ab, in dem es um Leid und Erlösung geht. Dazu der Sänger und Co-Autor des Songs Mick Jagger 1995 in einem Interview im Musikmagazin *Rolling Stone:* »Es handelt davon, eine schwierige Zeit zu haben und da rauszukommen. Einfach eine Metapher dafür, aus dem ganzen LSD-Zeug rauszukommen.« – Im selben Monat kam eine neue Langspielplatte des US-amerikanischen Country-Sängers Johnny Cash auf den Markt: *At Folsom Prison,* ein Live-Mitschnitt zweier Konzerte aus einer Haftanstalt in Kalifornien. Ein Jahr später folgte ein zweites Gefängnis-Konzert und das Live-Album, *At San Quentin.* Der »Man in Black«, der schon mit Songs wie *Folsom Prison Blues* (1955), *I Walk the Line* (1956) oder *Ring of Fire* (1963) erfolgreich war, wurde durch die Knastauftritte zu einem Hero für die Outcasts und einem »zornigen und couragierten Verfechter sozialer

Anliegen.«[38] – Wer sich in West-Deutschland dieser sozialen Strömung zugehörig fühlte und motorisiert war, fuhr in jenen Tagen einen VW Käfer (Volkswagen), eine 2CV Ente (Citroën), einen R4 (Renault), oder einen Bulli (VW-Bus). So gut wie jedes Auto mit einem langhaarigen Freak hinterm Lenkrad hatte einen Roten Punkt an der Windschutzscheibe, als Zeichen für die Bereitschaft, Tramper mitzunehmen. Trampen war angesagt, besonders im Sommer, eine gute Jahreszeit zum Verreisen - oder um entspannt zu Hause zu feiern, wenn man nicht gerade Ärger mit seinem Nachbarn hat, so wie die Small Faces es in *Lazy Sunday* besingen – damals war das Zusammenleben von Freaks und Kleinbürgern unter einem Dach nicht unproblematisch. – Ebenfalls im Sommer erschien mit *Born to Be Wild* eine der ersten Hard-Rock-Nummern, mit dem die Band Steppenwolf das damalige Lebensgefühl einfing. *Der Steppenwolf* ist ein Roman von Hermann Hesse aus dem Jahre 1927, der in den Sechzigern eine Renaissance erlebte. Ein Bestseller in jener Zeit war der Roman *Der Fänger im Roggen* von D.J. Salinger. – Der US-amerikanische Spielfilm *Die Reifeprüfung* mit Musik von Simon & Garfunkel *(Mrs. Robinson,* 1968), gab »auf eine kritische und amüsante Art das Spiegelbild des jugendlichen Aufbegehrens gegen die überkommende Moral des amerikanischen ›Establishments‹ der 1960er Jahre wieder.«[39] – Außer Filme »...wurden um 1968 Bücher und Platten, Romane und

38) *New York Times*

39) Daniel Gäsche

Pop-Musik wie selten zuvor Inspiration für rebellische Haltungen und fungierten als Motive zur Revolte. Popkultur veränderte Haltungen.«[40]

Doch in diesem, als Symbol für Aufbruch, Freiheit und Veränderung geltenden Jahr 1968, wurde es immer politischer. Musikalisch begleitet von US-amerikanischen Interpreten wie The Fugs *(CIA Man),* den Paten des Raps; Frank Zappa *(Who Needs the Peace Corps?)* mit seiner Gruppe The Mothers of Invention; der Proto-Punk Band MC5 *(Looking at You)* oder Country Joe and the Fish mit dem *I-Feel-Like-I'm-Fixin'-to-Die Rag,* bewirkten verschiedene Ereignisse zwischen April und August eine extrem aufgeheizte Stimmung, mit Folgen für Teile der Bewegung in Bezug auf Radikalisierung, Euphorie und Gewalt!

Mit der Erschießung des Bürgerrechtlers Martin Luther King, des »Königs der Liebe«, begann das fünf-monatige Drama Anfang April 68 in den USA. – Im selben Monat folgte das Attentat auf den Studentenführer Rudi Dutschke in West-Berlin. – Im Mai kam es in Frankreich zu wochenlangen Straßenschlachten, bei dem Versuch verschiedene gesellschaftliche Veränderungen herbeizuführen. Der Schlachtruf der Französischen Revolution[41], »Freiheit, Gleichheit, Brüderlichkeit« war schon Mitte des 19. Jahrhunderts aus Gründen der Geschlechterneutralität in »Freiheit, Gleichheit, Solidarität« umformuliert worden. Auf diese universalen Werte beriefen sich auch

40) Jens Kastner

41) von 1789 bis 1799

die Demonstranten der 68er-Bewegung. »Verdichtet hat sich diese Epoche im Pariser Mai, wo sich die Revolten der Frauen, der Jugend, der Studierenden, Intellektuellen und KünstlerInnen, der ArbeiterInnen und der MigrantInnen näher kamen als je zuvor.«[42] – Im Juni fiel der US-Senator Robert Kennedy in L.A. einem Attentat zum Opfer. Kennedy hatte die schwarze Bürgerrechtsbewegung unterstützt und sich für die Beendigung des Vietnam-Krieges eingesetzt, gegen den inzwischen auf der ganzen Welt demonstriert wurde, z.B. in Städten wie Belgrad, Berlin, Chicago, Genf, Istanbul, London, Mailand, Mexiko-Stadt, New York, Rio de Janeiro, Rom, San Francisco, Tokio und Warschau. – Im August patrouillierten fremde Panzer in den Straßen von Prag. Der Einmarsch durch die von der Sowjet-Armee angeführten Ostblock-Truppen einiger Staaten des Warschauer Pakts in die Tschechoslowakei bedeutete das Ende des Prager Frühlings, des Traums vom »Sozialismus mit menschlichem Antlitz«.

Exkurs – Black Power. Die Sklaverei in den USA war im Jahr 1865 offiziell abgeschafft worden, doch damit gab es noch lange keine Gleichberechtigung von Weißen und Schwarzen. Um diesem Ziel näher zu kommen entstand Ende der fünfziger Jahre in den USA die friedliche und gewaltfreie Bürgerrechtsbewegung um Martin Luther King. Legendär ist seine Rede »I have a dream« beim 1963 organisierten Marsch nach Washington

42) Thomas Seibert

- eine Zukunftsvision ohne Rassismus. Dem entgegen propagierte Malcolm X für den Weg der Gleichheit von Schwarz und Weiß »alle notwendigen Mittel« einzusetzen, die auch Gewalt nicht ausschloss. Als Malcolm X 1965 in New York ermordet wurde, löste dies landesweit schwere Unruhen aus und die Bürgerrechtsbewegung radikalisierte sich. Die aufkommenden Slogans »Black is Beautiful« und »Black Power« waren wichtig und nachhaltig und standen für ein neues schwarzes Selbstbewusstsein, für eine eigene schwarze Kultur außerhalb der weißen Gesellschaft. 1966 wurde in Kalifornien die Black Panther Party gegründet, die sich neben dem Kampf für soziale Gerechtigkeit auch gegen die Unterdrückung der schwarzen Minderheit einsetzte und im Laufe der Jahre immer größer und stärker wurde. Nachdem auch Martin Luther King 1968 einen gewaltsamen Tod erlitt, waren nicht nur die Mitglieder und Sympathisanten der Black Panther geschockt. Als dann noch FBI-Chef Edgar Hoover die Losung ausgab, »die Black Panther Party ist die größte Bedrohung der USA«, wurden die anfangs friedlichen und legalen Aktionen der Panther-Mitglieder von intensiven und ungerechtfertigten Bekämpfungen durch die amerikanische Bundespolizei mehr und mehr in die Illegalität getrieben. Die Schwarze Panther Partei leistete schließlich bewaffneten Widerstand, besonders bei rassistisch motivierten Polizeiübergriffen, die häufig vorkamen. – Vier Monate nach dem Attentat auf Martin Luther King schrieb der schwarze Soul-Sänger James Brown im August *Say It Loud, I'm Black and I'm Proud,* es war ein Song für die schwarze Bürgerrechtsbewegung. Dazu der britische Musikjournalist Peter Shapiro: »James Browns laute und trotzige Präsenz hat für die Gleichberechtigung der Afroamerikaner mehr bewirkt, als es jeder einzelne Protestmarsch hätte tun können.« – Auch der Beatle Paul McCartney nahm Bezug auf diese Bewegung und veröffentlichte im November 68 auf dem *White Album* der Beatles das zarte Lied *Blackbird,* musikalisch inspiriert von Johann Sebastian Bach und textlich eine indirekte Anspielung auf die Diskriminierung der schwarzen Frau in den USA. – Ende 71 schrieb Bob Dylan das Lied *George Jackson* zu Ehren des gleichnamigen Black Panther-Mitglieds, der bei einem Fluchtversuch aus dem Gefängnis von Wächtern erschossen worden war: *Prison guards, they cursed him. As they watched him from above. But they were frightened of his power. They were scared of his love. Lord, Lord, So they cut George Jackson down. Lord, Lord, They laid him in the ground. - Gefängniswärter verfluchten ihn, als sie ihn von oben beobachteten. Aber sie hatten Angst vor seiner Macht, sie hatten Angst vor seiner Liebe. Herr, Herr, also streckten sie George Jackson nieder. Herr, Herr, sie haben ihn unter die Erde gebracht.*

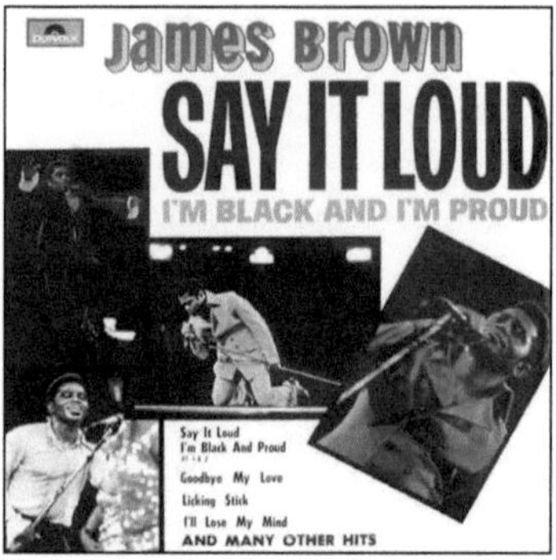

Mit einer anderen Nummer vom *White Album* sorgten die Beatles für Irritation. In den Vereinigten Staaten von Amerika hatten sie umjubelte Konzerte gegeben, die Führung der damaligen Sowjetunion ließ sie nicht einreisen. Warum also einen Titel wie *Back in the USSR* schreiben? Der Brite Paul McCartney sechzehn Jahre später: »Chuck Berry hatte einen Song, der *Back in the USA* hieß. Der war sehr amerikanisch [...]. Unser Song ist ... über einen Spion, der viele viele Jahre in den USA verbracht hat [...]. Er ist sehr amerikanisch. Aber er geht zurück in die UdSSR [...]« Und er besingt nicht nur freudig seine Heimat, sondern auch die Mädchen vor Ort: *Well, the Ukraine girls really knock me out, They leave the West behind, And Moscow girls make me sing and shout, That Georgia's always on my mind – Die ukrainischen Mädchen hauen mich echt um, Da kommt der Westen nicht mit, Die Moskauer Mädchen bringen mich zum Singen und Schreien, Dass ich Georgien immer im Sinn habe.*

Back in the USSR entstand aber nicht nur in Anlehnung an Chuck Berrys *Back in the USA*, außerdem sind noch leichte parodistische Anleihen an *California Girls* und *Surfin' U.S.A.*[43] von den Beach Boys und an

43) der Text stammt von Brian Wilson, die Komposition aber von Chuck Berry und wurde von den Beach Boys abgekupfert

Hoagy Carmichaels *Georgia on My Mind*[44] zu hören. Das Ergebnis der Beatles war überzeugend und heraus kam ein »herrlich schwungvoller und witzig getexteter Rocktitel, der ausserdem damals wie heute vorzüglich geeignet ist, fanatische Antikommunisten auf die Palme zu bringen.«[45] Noch einmal Song-Autor McCartney: »Klar ist auch, dass wir mit dem Song unsere Hand ausstreckten. Das ist mir heute noch sehr bewusst. Wir hatten dort Fans – nicht gerade bei den Herren im Kreml, aber bei den Jugendlichen. Und das finde ich sehr wichtig für die Zukunft.«[46]

Mehr Musik aus Swinging London: Ohne Absprache, unabhängig voneinander, brachten zwei der bekanntesten englischen Bands ihrer Zeit Ende August 1968 je eine Vinyl-Single heraus. *Street Fighting Man* von den Rolling Stones: *Ev'rywhere I hear the sound, Of marching charging feet, boy, 'Cause summer's here and the time is right, For fighting in the street, boy, Well now, what can a poor boy do, Except to sing for a rock 'n' roll band? 'Cause in sleepy London town, There's just no place for a street fighting man, no. – Überall höre ich den Klang von marschierenden, heranstürmenden Füßen, Junge, Denn der Sommer ist da und die Zeit ist reif, um auf der Straße zu kämpfen, Junge, Aber was kann ein armer Junge schon tun,*

44) nicht das europäische Georgien wird hier besungen, sondern der amerikanische Bundesstaat Georgia, evtl. aber auch eine Frau

45) aus https://hitparade.ch von »Fuchs im Wald«, 2020

46) Quelle: https://www.udiscover-music.de/popkultur/behind-song-back-ussr-von-den-beatles

außer in einer Rock & Roll Band zu singen? Denn im verschlafenen London, ist einfach kein Platz für einen Straßenkämpfer, Nein. – Das tröstende *Hey Jude* von Paul McCartney, die A-Seite der Beatles-Single wurde ein Riesenhit, doch mit dem rockigen *Revolution,* der B-Seite von John Lennon, wurde ein brandaktuelles Thema besungen: *You say you want a revolution, Well, you know, We all want to change the world, You tell me that it's evolution, Well, you know, We all want to change the world, But when you talk about destruction, Don't you know that you can count me out, Don't you know it's gonna be, All right.* – *Du sagst du willst eine Revolution, Nun, weißt du, wir alle wollen die Welt verändern, du sagst mir, dass es Evolution ist, Nun, weißt du, wir alle wollen die Welt verändern, Aber wenn es um Zerstörung geht, musst du wissen, ich bin nicht dabei, Ach weißt du, es wird schon klappen.*

Song-Autor Lennon räumt ein: »In einer Version sagte ich zum Thema Gewalt *Count me in (ich bin dabei),* weil sich erste Zweifel in mir regten. Gewalt schien mir unvermeidlich«. – »Der Zeitgeist hatte sich brutal geändert. Statt um Liebe und Frieden ging es jetzt um Politik und Kampf. In *Revolution* nahm Lennon bewußt diese Themen an, doch er weigerte sich, Liebe und Frieden für die düsteren Prioritäten der neuen Ära preiszugeben...«, so der britische Musikkritiker Ian MacDonald über Achtundsechzig und besagtes Beatles-Stück.

Herbst 1968. The Jimi Hendrix Experience zeigten mit der Veröffentlichung der Doppel-LP *Electric Ladyland,* wie gut sie waren. Niemand spielte so abgefahren

Gitarre wie Jimi Hendrix, es war atemberaubend. Auf dem Album befindet sich auch der Bob Dylan-Song *All Along the Wachtower,* der biblische Bezüge aufweist, von den Problemen des Lebens handelt und von dem der Musikjournalist Volker Rebell völlig zurecht feststellt, diese Hendrix-Interpretation sei »die Essenz der Rockmusik schlechthin«. – Gegen Jahresende erreichte der Psychedelic Rock mit dem wahrhaft großen Konzept-Album *S.F. Sorrow* von den Pretty Things seine Blütezeit. – Die Rolling Stones produzierten das bedeutende Album *Beggars Banquet* mit dem Eröffnungssong *Sympathy for the Devil.* Wer anders, als die »Bad Boys des Rock'n'Roll« wäre dazu befähigt, sich mit der dunklen Seite, dem Diabolischen im Menschen, auseinanderzusetzen? Die Entstehung von *Sympathy for the Devil* in den Londoner Olympic Studios wurde vom Regisseur Jean-Luc Godard als »eine fiktionale Trash-Doku musikalischer wie konzeptioneller Art«[47] in dem Film *One Plus One* eindrucksvoll festgehalten. – Zum Jahreswechsel glänzten Eric Clapton an der E-Gitarre, der Bassist Jack Bruce und Ginger Baker am Schlagzeug, alias Cream, noch einmal mit einem inzwischen zeitlosen Klassiker, dem mysteriösen *White Room.* –

47) ARD Programmvorschau

Gefolgt von The Nice. War es Ende der 50er, Anfang der 60er Jacques Loussier mit seinen verjazzten Interpretationen von Johann Sebastian Bach, so war es jetzt das Quartett um den Keyboarder Keith Emerson, die das *Brandenburger* als Progressive Rock zu neuem Leben erweckten.

Exkurs – Weniger ist mehr. Dieser Musikrichtung, dem Progressive Rock mit neuen stilistischen Elementen, verschrieb sich auch Brian Auger mit seiner Hammond-Orgel. Zusammen mit der britischen Sängerin Julie Driscoll und anderen Musikern, The Trinity, formierten sie sich zu einer Band. Neben Songs wie *This Wheel's on Fire* (1968) war ihre Interpretation von *Indian Rope Man* markant und eindringlich: *Fog dangling thick, Can't see the right road, streets are sick, The eight day mill, It might grind slow but it grinds fine, Indian rope man, while looking on, Tells common clay he's heavenly born, Retired layman looks on in scorn, with a transplanted heart, Kiss him quick, he has to part* - *Dichter Nebel tanzt, ich kann die richtige Straße nicht sehen, die Straßen sind schlecht, Die Acht-Tage-Mühle, sie mag langsam mahlen, aber sie mahlt fein, Der Indische Seiltrick-Magier, erzählt während er zuschaut in gewöhnlichem Ton, dass er himmlisch geboren ist, Der Laie, schon zur Ruhe gesetzt, schaut zu, voll Hohn, mit einem transplantierten Herzen, Küss ihn schnell, er muss aufbrechen.*

Mike O'Brien formulierte dazu ergänzend: »*Indian Rope Man* wurde ursprünglich 1969 von Richie Havens[48] geschrieben und aufgenommen und später im selben Jahr von Julie Driscoll und ihren Freunden gecovert. Zwei Jahre später hat Bob Marley es unter dem Titel *African Herbsman* neu interpretiert. Er behielt einen Großteil des Textes bei und machte einen Reggae daraus. In beiden Liedern geht es um die Fähigkeit traditioneller, vielleicht mystischer Ureinwohner, Wahrheit und Falschheit zu erkennen, und darum, dass sie ein ›echteres‹ Leben führen als andere. In der Marley-Version deutet die Verwendung des Wortes ›Herb‹ im Titel darauf hin, dass diese Wahrnehmung von der Verwendung von Marihuana herrührt. Der Inder im Original bezieht seine Wahrnehmung aus seinen religiösen Überzeugungen.«[49] In der Tat. Die Zeit der auslaufenden Hippiebewegung und später war in der Szene von Fragen nach dem Sinn des Lebens und der Suche nach wahrer Spiritualität geprägt. Während an den Universitäten linke intellektuelle Studenten über die Kritik moderner Massengesellschaften von Marx, Freud, Horkheimer, Adorno oder Marcuse diskutierten, waren in Aussteigerkreisen eher spirituelle und bewusstseinserweiternde Themen und Bücher wie die von Carlos Castaneda, Aleister Crowley, Gurdjieff oder Rudi Steiner angesagt, außerdem religiöse Texte, wie die Bhagavad Gita aus Indien, das Tibetische Toten-

48) der US-amerikanische Folk-Sänger Richie Havens schreib den Song zusammen mit Joe Rice und Mark Roth

49 Quelle: https://www.quora.com/Which-song-came-first-Indian-Rope-man-or-African-Herbsman-Whats-the-idea-and-meanings-behind-these-two

buch oder auch die Bibel. Die Rückbesinnung zur Natur, zu einem einfachen Landleben, nach dem Motto »Weniger ist mehr!« und der Wunsch nach einer unabhängigen Existenz, schien für viele Freaks eine Alternative zu einem »Flachland‹[50] ohne Introspektion zu sein, eine Alternative zum hektischen Großstadtleben und dem Streben, eine Karriereleiter emporzusteigen. Dazu merkte der Landwirt Gene Logsdon an: Es war »die Art von Unabhängigkeit, die den Erfolg in Bezug darauf definiert, wie viel Essen, Kleidung, Unterkunft und Zufriedenheit ich für mich selbst produzieren kann, anstatt wie viel ich kaufen kann.« »Das richtige Leben im falschen System«, hieß die Zauberformel, oder »Mehr Sein als Haben«.[51] Das schwer zu beschreibende Gefühl dieser Diskrepanz zwischen der alten (»heiligen«) Weisheit auf der einen und dem modernen (»profanen«) Leben auf der anderen Seite, offenbarten Brian Auger, Julie Driscoll & the Trinity mit *Indian Rope Man: Indian rope man flexes his eye, dissolving the fog, revealing the lie* - *Der Indische Seiltrick-Magier verdreht sein Auge, löst den Nebel auf und enthüllt die Lüge.*

Zum musikalischen Ausblick auf die 70er Jahre, in dem verschiedene Stilrichtungen der Rock-Musik härter into-

50) als »Flachland« bezeichnet der Philosoph Ken Wilber die oberflächliche Kultur der heutigen westlichen Welt bzw. deren Überbetonung des Materialismus

51) der Sozialpsychologe Erich Fromm schrieb zu diesem Thema 1976 ein Buch mit dem Titel »Haben oder Sein«

niert wurden und somit der Hard Rock eine große Rolle spielte, schreibt der Journalist Jan Schwarzkamp: »Die späten 60er sind ein Sammelbecken der Inspiration. Neue Aufnahmetechniken, ein Mehr an Möglichkeiten und von psychedelischen Drogen getriebene Musiker, die noch die irrste Idee umsetzen, führen zu einem fantastischen Durcheinander an Stilen, Platten und Songs, die viel von dem erfinden, was in kommenden Dekaden immer wieder kopiert und variiert wird. [...] Es beginnt die große Heavy-Rock-Welle, die Fantastillionen obskurer Krachschläger ins Leben spuckt, von denen die meisten im Schatten von Led Zeppelin, Deep Purple und Black Sabbath jedoch ein mickriges Dasein fristen.« Sicherlich, *Whole Lotta Love* (1969) der Superhit von Led Zeppelin war etwas Neues und ein echter Kracher, auch heute noch. Die Hits *Paranoid* (1970) von Black Sabbath und *Smoke on the Water* (1972) von Deep Purple fallen, in der Rückschau betrachtet, dagegen doch etwas ab.

Bevor das alte Jahrzehnt seinen Hut nahm, gab es noch einige musikalische Highlights. Das aus dem Musical *Hair* stammende Medley *Aquarius/Let the Sunshine In* eroberte im März 1969 in der Interpretation der Fifth Dimension die Charts und beschwor noch einmal die »Love & Peace«-Message der Hippies. – Im selben Monat schwärmten die Beach Boys mit ihrem Gute-Laune-Pop-Cover *I Can Hear Music*: *Ich kann Musik hören, süße süße Musik, wann immer du mich berührst, wann immer du in meiner Nähe bist.* – Dass noch etwas in der Luft lag, bekundeten Thunderclap Newman mit *Something in the Air* im Sommer: *Because the revolution's here, and you know it's right. We have got to get it together, now. – Weil die Revolution hier ist, und du weißt, dass es richtig ist. Wir müssen es in Ordnung bringen, jetzt.* – *Tommy,* das Konzept-Album der Who erschien im Mai als Rockoper. – Der Sommerhit des Jahres hieß im August *Oh Happy Day* von den Edwin Hawkins Singers. Ein Gospelsong – aus den Roots der schwarzen Sklaven entstanden – findet den Weg in den kommerziellen Mainstream der westlichen Welt. Was für ein Rückprall! Gesungen wurde über den glücklichen Tag, als Jesus meine Sünden wegwusch. – Im September stöhnten und flüsterten Provokateur Serge Gainsbourg und Muse Jane Birkin ins Mikrofon: *Je t'aime - moi non plus, Comme un vague irrésolue je vais et je viens entre tes reins, et je me retiens, tu es la vague, moi l'île nue, je te rejoins, oh mon amour, Non! Maitenant, viens! – Ich liebe dich, ich dich auch nicht, Wie eine unentschlossene Welle komme und gehe ich zwischen deinen Lenden, und ich halte mich zurück, du bist die Welle, ich die nackte Insel, ich vereine mich wieder mit dir, oh meine Liebe, Nein! Jetzt, komm!* Der Papst als Sittenwächter katholischer Sexualmoral und Vertreter des Establishments ließ *Je t'aime...*

Moi non plus auf den Index setzen. Der Heilige Stuhl gegen die Subkultur! Paul VI. erreichte zur Freude von Gainsbourg als Vertreter der Hippies und der sexuellen Revolution jedoch genau das Gegenteil: Das Duett aus Frankreich wurde ein internationaler Millionenseller. Die Autoritätskultur der katholischen Kirche musste einen empfindlichen Dämpfer hinnehmen.[52]

Die Rolling Stones erlebten jetzt nochmal eine musikalische Glanzzeit. »The Glimmer Twins« - Keith Richards & Mick Jagger - waren in Hochform und stellten dies mit Aufnahmen wie *Brown Sugar*[53] und *Honky Tonk Women* unter Beweis. In *Brown Sugar* wird einmal mehr die Stadt New Orleans besungen, sowie der Sklavenhandel und die damit verbundene sexuelle Gewalt; in dem im Spätsommer 1969 veröffentlichten rau-dreckigen *Honky Tonk Women* geht es um »Spelunken-Weiber«, die saufen oder koksen und sich prostituieren. Mit einem weiteren Titel, dem ahnungsvollen *Gimme Shelter*, schloss sich die Rock'n'Blues-Band der Hippie-Forderung »Make love, not war« an: *War, children, it's just a shot away, Rape, murder, it's just a shot away, Gimme shelter, I tell you, love, sister, it's just a kiss away.* – *Krieg, Kinder,*

52) Fünfzig Jahre später behauptete der emeritierte deutsche Ex-Papst Joseph Ratzinger (Benedikt XVI.), dass die sexuelle Revolution der 1968er Jahre eine Mitschuld am sexuellen Missbrauch von Kindern innerhalb der katholischen Kirche trage.

53) aufgenommen 1969 im Muscle Shoals Sound Studio (MSSS) in Alabama, veröffentlicht im April 1971

er ist nur einen Schuss entfernt, Vergewaltigung, Mord, sie sind nur einen Schuss entfernt, Gib mir Schutz, Ich sag dir, Liebe, Schwester, sie ist nur einen Kuss entfernt. Der apokalyptische Song im rockigen Delta-Blues-Sound kam Ende November auf den Markt und ist eine Sternstunde der Rock-Musik!

Überdies konnte Elvis Presley in der zweiten Jahreshälfte 69 noch einmal zwei Hits landen: *In the Ghetto* und *Suspicious Minds.* Besonders bei *In the Ghetto* zeigte der King noch einmal sein feines Gespür bei der Wahl seiner Songs und sein Talent als Sänger. Der sozialkritische Titel über das Leben im Elendsviertel wurde nicht nur regelmäßig im Radio gespielt, sondern wieder und wieder in den Musikboxen gewählt, vornehmlich im Rotlichtmilieu. – Zu guter Letzt war es die holländische Gruppe Shocking Blue, die 1969/70 mit der rockigen Nummer *Venus* über die Göttin der Liebe und über *...das Feuer, das deine Begierde entfacht...* herauskam. Siebzehn Jahre später wurde *Venus* für die Girlie-Group Bananarama neu eingespielt; diese Dance-Cover-Fassung steht für den schlechten Mainstrem-Geschmack der 80er Jahre und ist ein Beispiel dafür, wie man einen soliden Rock-Song verschandeln kann.

Exkurs – Judy und die Queere Community. Die Geschichte *The Wizard of Oz* war und ist in den USA so bekannt wie hierzulande *Hänsel und Gretel.* Klar, dass so eine erfolgreiche Story auch verfilmt werden musste. Hollywood machte daraus 1938/39 einen aufwendigen Musical-Fantasie-Film mit Judy Garland in der Hauptrolle. Gleich am Anfang kommt es zum Einsatz des Songs *Over the Rainbow.* Millionen Menschen waren tief gerührt, wenn die Garland mit ihren großen unschuldigen Kulleraugen anstimmte: *Somewhere over the rainbow, skies are blue, and the dreams, that you dare to dream, really do come true. – Irgendwo über dem Regenbogen sind die Himmel blau und die Träume, die du wagst zu träumen, werden wirklich wahr.*

Der Song aus dem *Great American Songbook* spendete Trost und gab Jung und Alt Hoffnung. Deshalb kam *Over the Rainbow* besonders bei Menschen mit gleichgeschlechtlichen Neigungen gut an, denn Schwule und Lesben wurden damals stark diskriminiert. Wikipedia: »Viele männliche Homosexuelle in den Vereinigten Staaten empfanden die Geschichte *The Wizard of Oz* und *Over the Rainbow* später als perfekten Ausdruck ihrer eigenen Sehnsüchte nach einer toleranteren und besseren Welt…«, so dass der Film und das Lied zum Kult für sie wurde. Im Juni 1969 starb die zur Ikone gewordene Judy Garland, mit der sich viele Homosexuelle identifizierten. Fünf Tage nach Judys Tod, »am Abend ihrer Beerdigung, wehrten sich Homosexuelle und Lesben erstmals im *Stonewall Inn,* einer Schwulenkneipe im New Yorker Stadtteil Greenwich Village, gegen die gewalttätigen Razzien und Routinekontrollen der Polizei. Dieser unorganisierte Stonewall-Aufstand bildete den Ausgangspunkt für ein beschleunigtes Anwachsen der Lesben- und Schwulenbewegung und das Entstehen des internationalen Christopher Street Day«[54] – auch Gay Pride genannt. Schon in der Bibel[55] steht ja, dass der Regenbogen ein Symbol des Friedens und des Bundes (zwischen Gott und den Menschen) ist. Vom Regenbogen zur Regenbogenfahne ist es nicht allzu weit, und die steht bekanntlich in vielen Kulturen dieser Welt für Hoffnung, Vielfältigkeit und Toleranz. – Nicht nur für die Queere Community ist *Over The Rainbow* ein unsterbliches Juwel.

Mit dem bevorstehenden neuen Jahrzehnt schien der romantische Traum von »Love & Peace« allmählich ausgeträumt. Doch vorher sollte noch in den USA ein gesellschaftliches Großereignis stattfinden. Mitte August 1969: Trotz vieler Beeinträchtigungen und organisatorischer Defizite, wurde das friedliche Woodstock-Festival im Bundestaat New York mit geschätzten 400.000 Besuchern zu einer Art abenteuerlich-musikalischem Happening. Musiker wie Santana mit seinem phänomenalen *Soul Sacrifice*, das Instrumental für die Ego-Auflösung, Jimi Hendrix, der aus Protest gegen den Vietnamkrieg die amerikanische Nationalhymne mit seiner Gitarre zerfetze,

54) Wikipedia

55) Altes Testament, 1. Buch Mose, Kapitel 9

Joe Cockers souliges Beatles-Cover *With a Little Help from My Friends* mit dem einmaligen Urschrei, Bands wie Canned Heat *(Going Up the Country),* Creedence Clearwater Revival *(Proud Mary)* oder The Who mit dem minimalistischen Gitarrensolo von Pete Townshend bei *See Me Feel Me,* oder die »Mutter der 68er«, die Folk-Sängerin Joan Baez *(We Shall Overcome),* sie alle sorgten für ein Fanal der Hippiebewegung. In dessen Erinnerung verschmelzen Cockers Schrei und Townshends Solo zu einer musikalischen Essenz, die sowohl den bitteren Schmerz als auch die schönen Sehnsüchte einer rebellischen Jugend- und Studentenbewegung zum Ausdruck brachte. – Dagegen wurde das gewalttätige Altamont Free Concert mit vier toten Fans und vielen Verletzen in der Nähe von San Francisco im Dezember dann leider zum Symbol des Abgesangs. Ex-Sponti und Grünen-Politiker Daniel Cohn-Bendit: »Ich vergleiche die Bewegungen, alle Bewegungen, mit dem Meer, das geht auf und ab, geht hoch und wieder runter. Das ist wie Ebbe und Flut. Man wünscht sich, dass die Bewegung stark bleibt, dass sie oben bleibt, aber das geht nicht, die Ebbe kommt unweigerlich.«

Musikalisch protestierten der Reggae-Musiker Jimmy Cliff *(Vietnam,* 1969), Jimi Hendrix *(Machine Gun,* 1970) und der Soul-Sänger Edwin Starr vom *Motown*-Label mit *War* (1970) gegen den immer noch andauernden Vietnam-Krieg. *War, What is it good for? Absolutely nothin. – Krieg, Wofür ist der gut? Für überhaupt nichts.*

Doch der Krieg tobte weiter und Politiker schauten weg. Auch Willy Brandt, der Ende 1969 als Hoffnungsträger zum Bundeskanzler in West-Deutschland gewählt wurde. Während seiner Antrittsrede verkündete »Willy Brandy« zwar: »Wir wollen mehr Demokratie wagen«, was auch positive Auswirkungen hatte, zum Vietnam-Krieg gab er öffentlich aber keine eindeutige, kritische Stellungnahme ab.

The Beatles, die Begründer des Pop als Gegenkultur, waren ein Phänomen. Was mit Ringo Starrs kurzem Trommelwirbel bei *She Loves You* 1963 begann, endete 1970 mit dem Album *Let It Be*. In der Zwischenzeit entstanden über zweihundert Songs, viele mit Ewigkeitswert, mindestens zwanzig erreichten eine Top-Ten-Platzierung in den Charts vieler Länder, veröffentlicht als Single oder auf einem der zwölf Studio-Alben wie *A Hard Day's Night* (1964), *Help!*, *Rubber Soul* (1965), *Revolver* (1966), das *White Album* (1968) oder *Abbey Road* (1969). »Niemand muss den Text verstehen, um zu begreifen, dass *Can't Buy Me Love* von romantischem Idealismus handelt. Oder dass *Help!* jene unerklärliche Verzweiflung beschreibt, die heute Depression heißt. In *Eleanor Rigby* kann jeder die transzendentale Obdachlosigkeit des Menschen in der Moderne hören. Und wer todtraurig ist und im Laufe von *Hey Jude* keinen Trost findet, dem ist wahrscheinlich nicht zu helfen. Fast jedes Beatles-Stück trägt ein Echo menschlichen Gefühls in sich. Wie Ringo in *With a Little Help from My Friends* die Töne nicht richtig trifft und genau deshalb so berührend über Freundschaft singt; wie sich der Rhythmus von *I'm Only Sleeping* über die Zeit schleppt und dabei so großartig verschlafene Morgendrömeligkeit nachstellt. Oder wie im Intro von *All You Need Is Love* kurz die *Marseillaise* angespielt wird, ein kleiner revolutionärer Trompetenstoß«[56]. – Ray Connolly ergänzt: »Die gesellschaftliche Bedeutung der Beatles beruht weniger darauf, dass sie irgendwelche neuen Positionen vertreten oder eine neue Bewegung in Gang gebracht hätten, sondern darauf, dass sie die Tendenzen des Tages aufnahmen und wiedergaben. Die Beatles waren Helden der lohnabhängigen Massen, konservative Revolutionäre und Pioniere, die dort den Surrealismus eingepflanzt haben, wo zuvor nur der Kitsch wucherte. Und sie unterminierten die ganze schwülstige Schlagerindustrie mit der Sprache des Alltags.«

Die »Beatlemania«, rückblickend betrachtet doch

weitaus mehr, als nur Schwärmerei junger Mädchen, war schon seit 1968 verebbt. Zwei Jahre später lösten sich die Beatles auf, aber nicht ohne vorher noch ein paar Top-Ten-Hits abzuliefern. Einer davon war *Come Together* (1969) mit einem teilweise dadaistisch anmutenden Text von John Lennon. »Mit *Come Together* und seinem sex-politischen Titel nimmt Len-

56) Philipp Oehmke, Tobias Rapp

non zum letzten Mal als Mitglied der Band Partei für die Gegenkultur. [...] In Studenten- und Undergroundkreisen enthusiastisch begrüßt, ist *Come Together* DER Schlüsselsong an der Wende des Jahrzehnts; er isoliert einen zentralen Moment, in dem die kommende Generation der freien Welt etablierte Weisheiten, Wissen, Moral und Verhalten ablehnt zugunsten eines drogeninspirierten Relativismus, der seither die intellektuellen Grundmauern der westlichen Kultur unterminiert.«[57] Im März 1969 zelebriert John Lennon mit seiner frisch angetrauten Ehefrau Yoko Ono – auch Aktionskünstlerin und Muse – in einem Amsterdamer Hotelzimmer ein »Bed-In for Peace«, in dem sie gemeinsam eine Woche im Hotelbett verbrachten und die Presse einluden dem beizuwohnen. Die Trauung mit Yoko, das »Bed-In« und andere Aktivitäten verarbeitete Lennon im April in dem Lied *The Ballad of John and Yoko.* Bei der Wiederholung des Horizontal-Events Ende Mai in einem Hotelzimmer in Montreal entstand am 1. Juni das Stück *Give Peace a Chance;* während der Live-Aufnahme befanden sich mehrere Dutzend Besucher[58] im Hotelzimmer, die alle den Refrain mitsangen: *All we are saying, is give peace a chance!* Mindestens in diesem Jahr war das Liebespaar John & Yoko so etwas wie ein lebendiges Kunstwerk.

1969 gab es eine Band, die mehr Schallplatten verkaufte als die Beatles und die Rolling Stones: Fleetwood

57) Ian MacDonald

58) unter ihnen Allen Ginsberg, Timothy Leary, Derek Taylor (Publizist u. Pressesprecher der Beatles) und Petula Clark

Mac. Gründungsmitglied und kreativer Kopf der Truppe war der Gitarrist Peter Green. Viele seiner Songs, die zwischen 1968 und 1970 entstanden, sind unvergessene Highlights: *Black Magic Woman*[59], *Man of the World, Albatross, Oh Well* oder *The Green Manalishi (With the Two Prong Crown).*

»Heute gelten die sechziger Jahre als Jahrzehnt des Umbruchs, als Zeit der Emanzipation und der Kultur-Revolution. Das hat viel damit zu tun, dass sie 1969 in Woodstock ihren finalen Höhepunkt erreichten. [...] All dem war der Aufbruch der Jugend vorausgegangen. Und der hatte ganz viel mit Musik zu tun: Bob Dylan, die Beatles, die Stones; der Siegeszug wilder junger Männer mit ihren elektrischen Gitarren, die erst die bürgerliche Musiktradition beiseite fegten und schließlich das ganze bisherige klassische Verständnis von Hochkultur infrage stellten.«[60] Chuck Berry hatte also recht behalten mit seiner Vision von *Roll Over Beethoven.* Und nicht nur das! Die Rock- & Pop-Musik hatte sich im Laufe der 60er Jahre zu einer massentauglichen und teilweise qualitativ hochwertigen Kunstform entwickelt. Doch das sollte nicht so bleiben. Die innovative Subkultur, der Underground, wurde im Laufe der Jahre mehr und mehr vom profitorientierten Mainstream-Markt kommerzialisiert, zu Lasten der musikalischen Qualität. – Passend zu diesem verrückten und innovativen Jahrzehnt betraten an dessen Ende, im Juli und im November 1969, zum ersten

59) wurde 1971 durch Santana zum Welthit

60) Philipp Oehmke

Mal Menschen den Mond. Die Mondlandungen hatten in erster Linie wissenschaftliche, aber auch kulturelle Bedeutung in Bezug auf das Science-Fiction-Genre und auf die Mode.

*

Es ist Ende August 2018. Ich sitze in meinem gebrauchten Skoda Octavia und warte auf meine Tochter. Aus dem Autoradio dröhnt John Fogertys *Rockin' All Over the World,* interpretiert von Status Quo – breitbeinige Gitarristen. Ich drehe lauter. 1977/78 wurde dieser Boogie-Rock-Song zum Hit. Etwas banal, aber doch irgendwie geil! Ein Ohrwurm zum Mitsingen. Auch nach über sechzig Jahren wird Rock'n'Roll gespielt. Währenddessen steigen all diese Erinnerungen in mir auf, wie es bereits in den 1940er Jahren mit den Hipstern[61] und Beatniks angefangen hatte. »Jack Kerouacs ratternde Schreibmaschine ist untrennbar mit den furiosen Pinselstrichen Jackson Pollocks und John Coltranes sich empor schraubenden Sopransaxophon-Chorussen verknüpft, eine Trinität, die den Durchbruch einer neuen Nachkriegs-Gegenkultur verkörpert, die sich offensichtlich nicht auf eine Ausbildung, auf Kunstfertigkeit und bravourösem Üben gründet, sondern auf Schweiß, Unmittelbarkeit

61) Angehöriger einer hauptsächlich in den USA verbreiteten urbanen Subkultur einer gesellschaftlichen Generation Mitte des 20. Jahrhunderts

und Instinkt.«[62] Dieser Satz von Howard Cunnell geht mir nicht mehr aus dem Kopf. Schweiß, Unmittelbarkeit und Instinkt – das trifft auch auf den Rock'n'Roll zu. Diese Musik war der Bezugspunkt zwischen Subkultur und politischem und kulturellem Handeln.

Die Kultur-Revolution des Rock'n'Roll hat stattgefunden, anders als die politische Revolution. Wir waren nicht die krachmachenden Chaoten, zu denen uns damals die reaktionäre Presse abstempelte.[63] Wir waren als kulturelle Anarchisten Teil einer Avantgarde und haben überwiegend Positives bewirkt mit unserer Rock-Musik, mit unserem Widerstand, der Rebellion im Elternhaus, in den Schulen und an den Universitäten. Kein geringerer als der Schriftsteller T.C. Boyle hat sich in diesem Sinne über das Vermächtnis der »Woodstock-Generation« geäußert: »Die größten Auswirkungen waren sicher das Entstehen der Umweltschutzbewegung, der Frauenbewegung, Respekt für die Natur, mehr Rechte für Individuen. All dies ist das Erbe dieser Zeit, hat dort seinen Ursprung.«

Jens Kastner erklärt es so: »Der Bewegungszyklus von 1968 war eine globale Kultur-Revolution. Global war diese Revolution nicht nur, weil in den späten 1960er Jahren an vielen Ecken der Welt protestiert wurde. Global war sie vor allem deshalb, weil diese Proteste sich aufeinander bezogen und sich voneinander inspirieren ließen.

62) Howard Cunnell

63) und auch heute noch gibt es Stimmen, denen nichts Besseres einfällt, als uns als „versifftes Gesocks" zu diffamieren

Das Kulturelle dieser Revolution zu betonen, bedeutet auch, auf ein Paradox hinzuweisen. Es besteht darin, dass die Bewegungen der 1968er Jahre zugleich sehr erfolgreich waren und total gescheitert sind. Gescheitert sind sie hinsichtlich ihrer weitreichenden ökonomischen und selbst in Bezug auf ihre politischen Erneuerungsvorstellungen. Erfolgreich waren sie hingegen vor allem in kultureller Hinsicht. Mit Kultur ist hier zweierlei gemeint: Zum einen beschreibt Kultur jene gesellschaftlichen Bereiche, über die das Feuilleton berichtet, also Musik, Tanz, bildende Kunst, Theater und so weiter. Zum anderen geht es bei Kultur auch um ganz allgemeine Denkweisen und Interpretationsmuster.« Und Johannes Waechter ergänzt: »Sich durch Kleidung, Aussehen, Musik und Lebensstil von der bürgerlichen Leitkultur abzugrenzen war lange ein politischer Akt; das geht von den Halbstarken über Hippies, Freaks und Punks bis zu den diversen Underground-Tribes der Achtziger und Neunziger. Und natürlich haben all diese Jugendbewegungen auch dazu beigetragen, das gesellschaftliche Klima toleranter und durchlässiger zu machen und die Spießerrepublik von einst hinwegzufegen.«

Die 68er-Bewegung beschränkte sich nicht nur auf das eine Jahr 1968 - in den USA und England spricht man deshalb auch von den »Long Sixties« weil dieser Aufbruchsgeist schon Ende der 50er begann und sich noch bis Anfang der 70er erstreckte. Und an vielen Orten der Welt gab es sozial-politische Konflikte und Proteste. Es war eine Revolte, die auch als antiautoritäre Bewegung bezeichnet wurde. Ich glaube, das war einer der Hauptaspekte. Alles wurde kritisch hinterfragt, nicht nur in der Schule, im Kindergarten, an der Uni und in der Familie, auch in der Politik. Früher, während meiner Kindheit, hieß es einfach: »Halt dein' Schnabel!«, und fertig war man. Wer immer sich in einer höheren oder machtvolleren Position befand, war eben eine Autorität, und Autoritäten hatte man zu akzeptieren, ohne Wenn und Aber. Nun jedoch war es an der Zeit, dieser preußisch-patriarchalischen, bedingungslosen Gehorsam fordernden Tradition etwas entgegenzusetzen. Denn der anerzogene Gehorsam ist zumindest eine Ursache für die Entstehung von Kriegen, die ja ohne Befehle und Befehlsempfänger nicht funktionieren würden. Vielleicht kann man es, was die gesamte subkulturelle Strömung betrifft, auch so formulieren: Ein Teil der Jugend kritisierte die Verhältnisse, indem sie »sich gegen die bestehende Ordnung empörte und damit Individualität gründete, eine eigene Welt, eine eigene persönliche Freiheit.«[64] In der zweiten Hälfte der 1950er und die ganzen sechziger Jahre hindurch – was da kulturell alles passiert ist..., auf jeden Fall mehr als nur verbal moralische Entrüstungsäußerungen.

Ich frage mich, was hat diese Gegenkultur des Ungehorsams in der Bundesrepublik Deutschland hervorgebracht? Folgende Stichworte fallen mir ein: Sexuelle Befreiung, Selbstorganisation, Selbstbestimmtes Leben, Antiautoritäre Kinderläden, Linke Buchläden, Alternative

64) Thorwald Dethlefsen, in Bezug auf die griechische Prometheus-Sage

Zeitungen, Raubdrucke, Graffiti, Stadtteilgruppen, Autonome Jugendzentren, Rote Hilfe, die Rote-Punkt-Aktion, Linke Kneipen, Anti AKW, Bewegung 2. Juni, die Friedensbewegung, Kriegsdienstverweigerungen, Aufklärung von NS-Verbrechen, Bürgerinitiativen, Frauenemanzipation, Kampf gegen den Abtreibungsparagraphen 218, Befreiungsbewegung für Schwule & Lesben, Demos für Reformen bzw. gegen verschiedene Arten von Missständen, Hausbesetzungen mit Kritik an »Privateigentum an Grund und Boden«[65], Internationale Solidarität mit Kritik gegen weltweit wachsende soziale Ungleichheiten, was schließlich zur Einleitung eines allgemeinen Wertewandels und zu einem Mehr an Demokratie führte, sowie neue Lebensformen wie die der Kommunen oder Wohngemeinschaften. Es gab Underground-Diskotheken mit abgefahrener Musik, in denen man legale und illegale Drogen konsumieren und ausgelassen tanzen konnte. Das leger-lässige Outfit, oft mit (weißen) Turnschuhen, hat bis heute die alte Kleiderordnung weitgehend ersetzt. Nicht zu vergessen die Grünen mit dem Umwelt- und Klimaschutz und die Idee der Nachhaltigkeit. Hab' ich was vergessen?

Ach ja, spontan fällt mir noch ein: der Kampf für die Gleichberechtigung von Minderheiten, die Gründung von Soziokulturellen Zentren, von Organisationen wie *Ärzte ohne Grenzen, Greenpeace, Amnesty International* und *Reporter ohne Grenzen* oder von anderen Vereinigungen, die für Menschenrechte und Tiefenökologie stehen. Kurz-

65) Friedrich Engels

um, ein Bewusstseinswandel hatte stattgefunden. Und in der Summe waren die meisten Veränderungen Türöffner für positive Entwicklungen. – Ach, du mein Schreck, plötzlich erinnere ich mich: ich hab' tatsächlich was vergessen. Ich bin kein Punk-Rocker, aber ich mag Songs wie *The Passenger* (1977) vom »Godfather of Punk« Iggy Pop, dessen textliche Stimmung mich an die Rastlosigkeit der Geschichten im Roman *On the Road* von Jack Kerouac erinnert. Und selbstverständlich gehört der Punk mit zur Kultur-Revolution des Rock'n'Roll.

*

Doch bevor der Punk-Rock aus der Taufe gehoben werden konnte, musste es erst einmal zu einem Zerfall des antiautoritären Hippietums kommen. Die Flower-Power-Bewegung hatte zu Beginn der 70er Jahre ihren Zenit überschritten. Die bis dahin vorherrschende Friedfertigkeit wurde von immer größerer Militanzbereitschaft durch Aktivisten aus dem Umfeld der ehemaligen studentischen 68er-Bewegung abgelöst. Es entstanden bewaffnete linke Untergrundorganisationen[66], die Gewalttaten

66) z.B. die Weathermen (USA, ab 1966), die Bewegung 2. Juni (Berlin, ab 1967) , die IRA (Irland, ab 1969), die Rote Armee

wie Sabotageaktionen, Bombenanschläge, Entführungen und sogar Morde verübten. Im Rock-Business waren es der Song-Text von *Gimme Shelter* und die negativen Vorkommnisse während des Free Concerts am Altamont Raceway, die diesen Trend andeuteten. Und auch zwei andere Ereignisse ließen eine neue Bedrohungslage erahnen. Zum einen gab es in Kalifornien die Morde im Auftrag von Charles Manson, dieses wahnsinnigen Anführers und Zuhälters einer ausgeflippten Hippie-Sekte. Angeblich aus Hass auf das Establishment metzelten Mitglieder der Manson-Family sieben Menschen nieder, unter ihnen die hochschwangere Schauspielerin Sharon Tate. Zum anderen irritierte das Roadmovie *Easy Rider*[67], von und mit Dennis Hopper und Peter Fonda, die Zuschauer. Hopper und Fonda spielen langhaarige bekiffte Freaks, die als Biker unterwegs sind, aber nicht in das saubere, bigotte Amerika passen. Ihre Suche nach Freiheit wird durch Rednecks jäh gestoppt und endet in einer Tragödie.

Bleibt als bittere Erkenntnis, dass durch die Zunahme von Aggressivität und Gewalt sich der hoffnungsvolle Hippie-Traum von »Love & Peace« allmählich in einen Alptraum verwandelte. Die Verkettung negativer Ereignisse wurde in den Siebzigern (und auch später) zusätzlich durch unverhältnismäßige und oft rechtswidrige

---

Fraktion, RAF (BRD ab 1970), oder die Roten Brigaden (Italien, ab 1970).

67) produziert in den USA; Jack Nicholson, Hollywoods rebellischer Antiheld, brillierte in einer kurzen Nebenrolle

Polizeigewalt bei Demonstrationen und Hausbesetzungen befeuert. Trotz der negativen Schlusssequenz besitzt der Streifen *Easy Rider* mit seinem abgefahrenen Soundtrack, bestehend aus zeitgenössischen Rock-Songs, zurecht Kultstatus. Einer der Songs war das coole, von der Bibel und surrealistischen Buñuel-Filmen inspirierte *The Weight* (1968) von The Band über das Thomas Waldherr schrieb: »Tatsächlich ermöglicht der Song auf engstem textlichem Raum allerlei amerikanische Assoziationen: Er hat biblische und religiöse Bezüge, er spielt mit Bildern des Kleinstadtlebens im Westen und dem Teufel, der quasi an jeder Ecke lauert. Er lässt Bigotterie genauso erahnen wie Liebe, Verlangen und Gewalt. Der Text ist ein Panoptikum des alten, gefährlichen Amerika. Und auch seine Musik ist pure Americana. Sie eint in großartiger Weise Country, Rock, Soul- und Gospel-Elemente.« Ein anderer herausragender Song des Soundtracks ist Bob Dylans *It's Alright Ma (I'm Only Bleeding)* von 1965, eine indirekte Anklage des Lebens in den USA der 60er Jahre und Ausdruck des damit verbundenen Lebensgefühls, gesungen von Roger McGuinn. – Alle vier Ereignisse (die Premiere von *Easy Rider* im Juli, die Morde der Manson-Family im August, die Veröffentlichung von *Gimme Shelter* im November und das Altamont Free Concert im Dezember) fanden zwar noch in der zweiten Hälfte des Jahres 1969 statt, ihre dynamischen Auswirkungen für (Sub-) Kultur und Gesellschaft entfalteten sich jedoch noch Monate später und prägten das neue Jahrzehnt nachhaltig.

Wer die Wirkung von psychedelischen Substanzen kennenlernen wollte, ohne diese einzunehmen, dem bot sich dazu 1970 in Deutschland eine Möglichkeit. *Gris-Gris,* das unter dem Genre »Voodoo-Rock« vermarktete Konzept-Album von Dr. John, the Night Tripper, erschien schon Anfang 1968 in den USA und enthielt sieben Songs – eine Mischung aus Psychedelic, schwülem Swamp-Rock und Rhythm & Louisiana Blues. *Gris-Gris Gumbo Ya Ya.* Ein gefundenes Fressen für Freaks, die in Underground-Kreisen verkehrten, wo die Platte selbstverständlich oft gespielt wurde. So etwas Genial-Verrücktes hatte es bis dato nicht gegeben. Diese teilweise unheimliche Musik suchte ihresgleichen. Es ist das »Debütalbum vom ›König des psychedelischen Bayou‹ – der hypnotische, mystische und kraftvolle Sound des Sumpfes, der zum Leben erwacht. In Los Angeles gelang es Dr. John zusammen mit Session-Musikern seine nachtschwarzen Visionen von Gitarren-Psychopop hervorzaubern. Während *Gris-Gris* Momente enthält, die es zu einem typischen Symbol seiner Zeit machen, könnte es durchaus im Weltraum oder im Voodoo-Jenseits entstanden sein. Mit seinem übersinnlichen und stilistischen Vakuum lehnt sich das Album ebenso stark an die Musikkultur New Orleans an, in der Dr. John aufgewachsen ist, wie auch an den drohenden kontinuierlichen Puls des Krieges, der schweren Drogen und das Ende der Free Love/Hippie-Bewegung.«[68] Es schien, als hätte sich mit der Produktion der konkurrenzlosen *Gris-Gris*-LP ein magischer Kreis geschlossen; 70

68) Plattenkritik, https://www.flight13.com/

Jahre New Orleans-Feeling, Authentizität und die Essenz musikalischer Ekstase.

In der Begleitung von den Mad Dogs & Englishmen, einer aus professionellen Session-Musikern zusammengestellten Band, lief der britische Sänger Joe Cocker während einer dreimonatigen USA-Tournee zur Höchstform auf. Zwischen März und Mai 1970 spielte die über 50-köpfige Truppe, bestehend aus den Musikern mit Familienanhang, Begleitpersonal und Fans – gleich einer riesigen Hippiekommune – in 48 Städten. Interpretationen von Titeln wie *The Letter*[69], mit dem leicht angejazzten Trompetensolo von Jim Price bzw. dem sehnsüchtigen Solo des Saxophonisten Bobby Keys und dem mehrstimmigen Background-Chor, zeugen davon, wie sich ein solider Pop-Song zu einem lebendigen bluesig-souligen Klangerlebnis verwandelt, wie es wahrscheinlich nur in der Endphase der ausgelassenen Flower-Power-Epoche möglich war. Eine Doppel-LP und eine Filmdokumentation hielten dieses wunderbar-chaotische Event fest. Peter Felkel schrieb dazu im Musikexpress: »Es sind nicht die Songs, nicht die Begleiter, die dieses Werk adeln. Es ist Joe Cocker, der dem instrumentalen und vokalen Overkill trotzt, seine Seele auswringt, jeden Song singt, als wäre

69) im Original von der Gruppe The Box Tops

es sein letzter. Wir erleben einen von Alkohol und Drogen gebeutelten Performer auf der Höhe seiner Kunst.«

Mit der üblichen Verspätung – nach Woodstock in den USA – erreichte der Höhepunkt und damit der allmähliche Ausklang dieser gegenkulturellen Jugendbewegung schließlich auch Europa. Zu dem fünftägigen (und teilweise chaotischen) Isle of Wight Festival Ende August 1970 kamen noch einmal mehr als eine halbe Million Gleichgesinnte zusammen. Zu den vielen hochkarätigen Interpreten gehörten u.a. The Doors, The Who, Jimi Hendrix, Leonard Cohen *(The Partisan,* 1969) sowie der Jazz-Trompeter Miles Davis, der mit seiner Band auf der Bühne lange und frei improvisierte: *Call It Anything (Nenn's wie du willst)* war die Antwort von Miles Davis auf die Frage nach dem Titel des Stücks, »ein brodelndes elektrisches Hexengebräu, das dem Rockpublikum nur die Wahl zwischen fassungslosem Staunen und stehenden Ovationen ließ«, schreibt Konrad Heidkamp in *Zeit Online* und fährt fort: »Keiner mochte diese elektrischen Instrumente: weder Keith Jarrett seine Orgel noch Chick Corea sein Fender Rhodes Piano, noch Dave Holland seinen E-Bass. Doch sie wollten mit Miles Davis spielen. Also kochen sie zusammen mit dem Schlagzeuger Jack DeJohnette, dem bekifften Perkussionisten Arto Moreira und dem Saxofonisten Gary Bartz in einer unter Strom gesetzten Jam Session, die nur auf den Einsatz dieses akustischen Trompetentons zu warten scheint, scharf, manchmal elegisch, immer von blauer Farbe grundiert. Formvollendet formlos sind diese 38 Minuten, weil nur die Reaktion des Augenblicks zählt.«

Exkurs – Death & Drugs. Im neuen Jahrzehnt verlor die Szene einflussreiche musikalische Idole, sie wurden alle nur 27 Jahre alt. Alan Wilson war Anfang September 1970 der erste, der ging. Als Gründungsmitglied der Bluesrock-Band Canned Heat, hatte der Gitarrist, Sänger und (Co-) Autor großen Anteil am Erfolg der beiden Hippie-Hits *On the Road Again* und *Going Up the Country*. Mitte September ereilte Jimi Hendrix der Tod, der mit seinem psychedelischen *Purple Haze* (1967) indirekt die Frage stellte: Drogen oder Liebe? »Die Musik als Mittel des friedlichen Protest, die Gitarre als politisches Instrument – darin sah Hendrix seine Chance, Dinge zu verändern. Für viele Fans wurde er in Zeiten des Protests und der Befreiung zu einem Guru, der seine Botschaften mittels Musik vermittelte.«[70] Im Oktober schloss sich ihm das »First Hippie Pinup Girl« Janis Joplin an, die kurz vor ihrem Tod noch einige Stücke aufgenommen hatte, darunter auch das von ihr so herzzerreißend gesungene *Me and Bobby McGee*[71], ein Lied über ständiges Unterwegssein und über das Glücks des Augenblicks, das postum Anfang 1971 zum Hit wurde: *Freedom is just another word*

70) Danial Gäsche

71) geschrieben von Kris Kristofferson

for nothing left to lose - Freiheit ist nur ein anderes Wort dafür, dass man nichts mehr zu verlieren hat.

Im Juli 71 starb Jim Morrison, Sänger der Doors, die 1967 mit *Light My Fire* international bekannt wurden. »Wie kaum eine andere Rockgruppe der Zeit spiegelte die Musik der Doors die Aufbruchstimmung und den Protest der Jugendlichen wider. Und Jim Morrison war ihr musikalischer ›Apostel‹, der den Geist der Rebellion auf die Bühne trug und diesen auch persönlich verkörperte.«[72] – Da bereits vorab schon der einflussreiche Folk-Blues-Musiker Robert Johnson († 1938) sowie der Gründer der Rolling Stones, der Multiinstrumentalist Brian Jones († 1969) ebenfalls mit 27 Jahren abgetreten waren, entstand der Mythos vom »Club 27«. »Brian Jones hat die Rock-Musik neu kalibriert. Bei ihm klang sie düsterer, rauer. Er hat der Rock-Musik und der gesamten Pop-Kultur einen Touch schwarzer Magie hinzugefügt. Sein Einfluss ist heute noch spürbar. Punk, Patti Smith oder Garage Rock, alle greifen Brians Werk auf. Aus gutem Grund, denn er zeigte uns, wie man bis an den Rand des Abgrunds geht und das kann man heute noch hören.«[73] In den Neunzigern waren es Kurt Cobain († 1994), Sänger und Gitarrist der Grunge-Band Nirvana und im neuen Jahrtausend die unübertroffene Soul-Sängerin und Songschreiberin Amy Winehouse († 2011), die genauso früh von uns gingen, um nur einige zu nennen. Alle MusikerInnen

72) Danial Gäsche

73) Rock Journalist Paul Trynka

starben direkt oder indirekt an den Folgen übermäßigen Drogenkonsums.

Nach Auflösung der Beatles machten alle vier Mitglieder solo weiter. John Lennon, politisch engagiert wie nie zuvor, spielte mit anderen Musikern neue Titel ein: *Working Class Hero* (1970) und *Power to the People* (1971); in Zusammenarbeit mit Yoko Ono entstanden 1971 das Friedenslied *Imagine*, das Weihnachtslied *Happy Xmas (War is Over)* und ein Jahr später – für die Frauenbewegung – *Woman is the Nigger of the World.* Alle Songs sind bedeutende musikalische Statements, bis heute unvergessen und haben nichts an Aktualität verloren. – George Harrison überraschte mit einem musikalischen Gebet: *My Sweet Lord* stürmte Ende 1970, Anfang 71 die Spitzen der Charts in vielen Ländern. – Dasselbe gelang sieben Jahre später auch Paul McCartney mit seinen Wings und dem Dudelsack-Song *Mull of Kintyre*, eine Liebeserklärung an eine schottische Halbinsel.

Einerseits war die Perfektion und Kommerzialisierung der Rock-Musik in der ersten Hälfte der siebziger Jahre auf einem sehr hohen Level, z.B. durch Gruppen, die nur aus Solisten bestanden, wie Emerson, Lake and Palmer, andererseits war die Rock-Musik von einem »Leerlauf überkünstelter musikalischer Ideenlosigkeit.«[74] geprägt. Doch es gab Lichtblicke, wenn auch verschiedenster Art. – Den Anfang machte im Februar 1970 ein singender

74) Bruce Bruckmoser, Peter Wulff

Schauspieler mit einem One-Hit-Wonder. Lee Marvin, als versoffener Goldgräber in dem Western-Musicalfilm *Westwärts zieht der Wind* (US, 1969), ließ es sich nicht nehmen mit seiner rauen Bass-Stimme die Ballade *Wand'rin' Star* selbst vorzutragen. Gerade seine unbeholfen wirkende Interpretation mit dem anspruchsvollem Text über das rastlose Leben im Wilden Westen – *I was born under a wand'rin' star* – hatte das gewisse Etwas und erzeugte Lagerfeuer-Romantik. – Vielleicht hatte das Autoren-Trio Holland-Dozier-Holland die Zeichen der Zeit erkannt, denn es produzierte wenig später für Freda Payne mit *Band of Gold* einen Soul-Song über die gescheiterte Liebe in der Hochzeitsnacht. – Auch Ray Davis von den Kinks hatte zum Thema Liebesbeziehung etwas geschrieben; die Band aus London meldete sich mit *Lola* eindrucksvoll zurück. Sie sangen über einen Mann, der in einem Club auf eine ungewöhnliche Frau[75] trifft: *Well I'm not the world's most masculine man, But I know what I am and I'm glad I'm a man, And so is Lola – Nun, ich bin nicht unbedingt der männlichste Mann, Aber ich weiß was ich bin, und ich bin froh, dass ich ein Mann bin, so wie Lola.* Die eingängige Melodie lud zum Mitsingen ein und wurde in der Szene schnell zum launigen Party-Hit. Die ursprüngliche LP-Fassung mit der Textzeile *Where you drink champagne, And it tastes just like Coca-Cola* wurde für die Single-Aufnahme wegen Schleichwerbung und drohendem Radio Boykott der BBC in *Where you drink champagne, And it tastes just like cherry cola* um-

75) ein Transvestit

geändert. – Im Gegensatz dazu ließ sich James Brown im Sommer von irgendwelchen Liebesirritationen nicht beirren; seine *Sex Machine* war musikalisches Dynamit. Der Funk-Song, eine Aufforderung aktiv zu sein, welcher Art auch immer, beginnt mit einem Call-&-Response-Dialog und »leitet über zu einem eintaktigen Riff, in dem ein Geflecht aus Rhythmus-Gitarre, Bass und Drums aus dem Stand einen hypnotischen Groove etablieren, der bis heute in der Geschichte der Popmusik ohne Beispiel ist.«[76] Wer den »Godfather of Soul« einmal live erleben durfte, wird dies sein Lebtag nicht mehr vergessen. – Als Anfang 1971 der Rock-Song *Layla* von Derek and the Dominos bekannt wurde und große Aufmerksamkeit erlangte, fragten sich neugierige Fans: Wer wird da eigentlich besungen? Nicht verwunderlich war, dass die Antwort mit emotionalen Regungen des Autors zu tun hatte. Der Kopf der Truppe, »Slowhand« Eric Clapton, war von einer persischen Liebesgeschichte über eine Prinzessin mit Namen »Leila« so beeindruckt, dass er (zusammen mit Jim Gordon) folgenden Refrain textete: *Layla, you've got me on my knees. Layla, I'm begging, darling please. Layla, darling won't you ease my worried mind. – Layla, du zwingst mich in die Knie. Layla, ich flehe dich an, Liebling, bitte. Layla, Liebling, willst du meinen geplagten Geist nicht beruhigen?* Diese Aussage war aber auch noch der Tatsache geschuldet, dass der Ausnahme-Gitarrist in die Ehefrau seines Musikerkollegen und Freundes George Harrison verliebt war.

76) Diethard Stein

Das zweiteilige Lied mit einer Dauer von sieben Minuten ist eines der großen musikalischen Kunstwerke der Rockgeschichte. – »Wenn die Welt um mich herum explodiert, wie soll ich dann weiter singen? Liebeslieder?« Über diese Problematik dachte Marvin Gaye in Anbetracht von Polizeibrutalität und Straßenkämpfen nach. Auslöser waren Demos friedlicher Antikriegsaktivisten und Berichte traumatischer Erlebnisse von Vietnam-Veteranen nach der Rückkehr in ihre Heimat USA. Gayes Reaktion war der Song *What's Going On* aus dem gleichnamigen Konzept-Album, das im Mai 71 vom *Motown*-Label veröffentlicht wurde; in *Mercy Mercy Me (The Ecology)* kritisierte Marvin die Umweltverschmutzung und deren negative Auswirkungen. – Im Sommer verbreiteten The Who noch einmal eine optimistische Botschaft: *Won't Get Fooled Again – werden uns nicht wieder austricksen lassen.* – Ende des Jahres erschien von der Hardrock-Band Led Zeppelin mit der Rock-Ballade *Stairway to Heaven* die Sphinx der Rock-Lyrik. – Ähnlich hintergründig besang Don McLean zum Jahreswechsel mit *American Pie* die Geschichte des Rock'n'Roll.

Schon Mitte/Ende der Sechziger und Anfang der siebziger Jahre entwickelten sich einige neue Musikrichtungen. Eine davon war der Funk, vorgetragen von US-amerikanischen Schwarzen wie James Brown *(Papa's Got a Brand New Bag, I Got You [I Feel Good]*, 1965) und Sly & The Family Stone *(I Want to Take You Hig-*

her, 1969) oder Betty Davis[77] *(Nasty Gal,* 1975). Letztere stand im Strom der »Black is Beautiful«-Bewegung und trug mit dazu bei, das Frauenbild der 70er Jahre zu revolutionieren. Viele schwarze Interpreten (z.B. vom *Motown*-Label) hatten ein betont bürgerlich angepasstes Styling mit einem glattpolierten Image. Betty Davis verkörperte genau das Gegenteil; freakig, mit langem Afro-Look und aufreizendem Outfit schockierte sie vor allem mit ihrer vulgären Bühnenshow. Die heutige visionäre »Queen of Funk« genoss damals das wilde Nachtleben von Greenwich Village; sie wusste wer sie war und worauf sie Anspruch hatte. Ihre Texte waren suggestiv, sie nahm kein Blatt vor den Mund, wenn sie diese mit ihrer tiefen kratzigen Stimme rausröhrte; so wie in dem Song *Shoo-B-Doop and Cop Him (Husch, husch, schnapp ihn dir)* von 1974: *I'm going to do it 'til the cows come home, and when my goose gets loose, she's gonna know, I'm still be getting it on, with him around, now, (Move it, move it), I'm gonna move it slow like a mule, (Go on and move it, gal), I'm gonna love him funky free and foolish, I'm gonna do my best, and try hard to get him - Ich will es tun, bis wir uns in der Zeit verliern, mein Liebestier ist voller Gier, es ist so heiß und weiß, ich will noch mehr von ihm (Nun mach schon, mach)., ich werd' es tun, langsam wie ein Gnu, (Mach' weiter und beweg dich, Mädel), ich werd' verrückt und närrisch nach ihm sein, ich werd' mein Bestes tun, und alles geben, um ihn zu kriegen.*

77) war 1968/69 ein Jahr lang mit dem Jazz-Trompeter Miles Davis verheiratet

Eine andere neue Musikrichtung war der Glam Rock. David Bowies Konzept-Album *Ziggy Stardust* (1972) - eine heimliche Hommage an Jimi Hendrix - war wegweisend für dieses glitzernde, etwas androgyn wirkende Genre. – Ebenfalls glitzernd, aber auch anrüchig ging es im »Kit Kat Club« zu, einem fiktiven Nachtclub aus dem Musical-Film *Cabaret*[78], der 1972 in die Kinos kam. Die Handlung spielt in Berlin 1931, gegen Ende der Weimarer Republik, zwei Jahre bevor Deutschland für zwölf Jahre in einer braunen Kloake versank. Eine überragende Liza Minnelli spielte die Hauptrolle in dem Drama und bekam dafür zurecht einen Oscar. Als amerikanische Sängerin »Fräulein Sally Bowles« performte Minnelli den gleichnamigen Song *Cabaret*: *Life is a cabaret, old chum!, Come to the cabaret! - Das Leben ist ein Kabarett, alter Kumpel!, Komm ins Kabarett!* »Selbstbestimmt, frei, unabhängig und ›unbürgerlich‹ wollte die Jugend seinerzeit sein. Auch die Rockmusik transportierte diese Haltung: live fast, die young - leb' schnell, stirb jung. Den Titelsong aus *Cabaret* verstand man als Ausdruck dieser Auffassung. In diesem Sinne, als eine Art zuversichtliches Bekenntnis aus eigener Kraft sein Leben gestalten zu können, wirkt er bis in die Gegenwart.«[79] – Wenig später formulierten die Glam Rock-Formationen Alice Cooper & Band in *School's Out: Die Schule ist aus - für immer,* und T-Rex in *Children of the Revolution: Nein, du kannst die Kinder der Revolution nicht hinters Licht führen.*

78) eine US-amerikanische Produktion

79) Wolfgang Jansen

Ein weiteres neues musikalisches Genre kam aus Jamaika: Reggae! Protestmentalität, Rastafari-Kult und rauchende Joints waren untrennbar mit dieser rhythmisch verschobenen Tanzmusik verbunden. Einige wichtige Vertreter des Reggaes der frühen Jahre waren Desmond Dekker *(The Israelites,* 1969), Toots and the Maytals, Jimmy Cliff, Bob Marley und Peter Tosh. Im April 1973 veröffentlichten The Wailers - die Band von Marley und Tosh - den engagierten Reggae-Song mit dem Aufruf *Get Up, Stand Up: Get up, stand up, stand up for your rights - Los gehts, steh auf, erhebe dich für deine Rechte!*

Exkurs – Königsspiel. Im Juli 1972 begann in der isländischen Hauptstadt Reykjavik die dreiunddreißigste Schachweltmeisterschaft. Es war die Zeit des Kalten Krieges zwischen den kapitalistischen Westmächten unter der Ägide der USA (NATO) und dem sozialistisch-kommunistischen Ostblock, in dem die Sowjetunion die Führung inne hatte (Warschauer Pakt). Der amtierende Weltmeister und damit Titelverteidiger war der für die Sowjetunion spielende Boris Spasski, auch genannt der »faule Bär«. Das exzentrische Schachgenie Bobby Fischer aus den USA hatte sich als Herausforderer qualifiziert. Somit war der Wettkampf auch ein Stellvertreterduell zweier antagonistischer Ideologien auf dem Schachbrett. Das Match um die Krone im Schach wurde von der Presse als Zweikampf des Jahrhunderts angekündigt. Nachdem Bobby Fischer, der Herausforderer, schon mit 0:2

Punkten zurücklag, gewann er dank seines Könnens und eines irrwitzigen Psychokrieges am Ende nach 21 Partien doch ziemlich souverän mit 12,5 zu 8,5 Punkten. Bobby Fischer wurde wie ein Popstar gefeiert und das, obwohl das Land für das er spielte, wegen der Kriegführung in Vietnam stark in der öffentlichen Kritik stand. Doch zum einen sah sich der Schach-Wahnsinnige Fischer als Einzelkämpfer und zum anderen vertrat er auch den »American Way of Life«, der für individuelle Freiheit steht, im Gegensatz zum Sowjetrussischen Kollektivismus. – Über dem Event schwebte als musikalisches Highlight des Jahres die Doppel-LP *Exile on Main Street,* das Opus Magnum der Rolling Stones mit dem groovigen Single-Hit *Tumbling Dice* und seinem gospelartigen Chor.

Als die Soul-Sängerin Roberta Flack im Flugzeug im bordeigenen Musikprogramm *Killing Me Softly With His Song* von Lori Lieberman höre, war sie augenblicklich verzaubert und wusste: den Song will ich singen. Eine gute Idee, denn Flacks Version ist die Beste und wurde Anfang 1973 zum internationalen Bestseller. – Gegen Ende desselben Jahres erschienen zwei Soul-Songs, die beide das Zusammenleben in Ortschaften zum Thema hatten. In *Nutbush City Limits* von Ike & Tina Turner

wird über das monotone Leben in einem kleinen Ort in Tennessee erzählt; Stevie Wonders *Living for the City* ist die kritische Beleuchtung des Lebens von Schwarzen in einer Großstadt. – *Sweet Home Alabama,* der größte Hit der Südstaaten-Band Lynyrd Skynyrd, wurde im Juni 1974 in den USA veröffentlicht. In dem Southern-Rock-Song wird nicht nur über die Lebensart des Südens gesungen und der Wunsch geäußert, in die *liebliche Heimat Alabama gebracht zu werden, damit ich meine Verwandten sehen kann.* Die Single enthielt in Textpassagen auch Anspielungen auf soziale Spannungsfelder. Der damalige Gouverneur[80] aus dem US-Bundesstaat Alabama wird ausgebuht: *In Birmingham they love the Governor, boo, boo, boo.* Und am Schluss des All-Time-Klassikers heißt es *Yeah, my, Montgomery's got the answer - ja, Montgomery hat die Antwort parat,* weil die Stadt Montgomery zu einem Symbol der schwarzen Bürgerrechtsbewegung geworden war. – Im Herbst versicherte uns John Lennon: *Whatever Gets You Thru the Night – it's all right - Was auch immer dich durch die Nacht bringt, ist in Ordnung.* – Gefolgt von der kanadischen Rockband Bachman-Turner Overdrive mit dem Stotter-Titel *You Ain't Seen Nothing Yet (Du hast ja keine Ahnung)* zum Jahresende.

Weiterhin nicht untätig waren auch die Rolling Stones und brachten ihre Leidenschaft für die Rock-Musik im Sommer 1974 musikalisch mit der Aussage auf den Punkt: *It's Only Rock 'n Roll (But I Like It).* Der einfach gehaltene Song war jedoch nicht nur eine Liebeserklä-

80) George Wallace

rung an die Rock-Musik, er ist eine Offenbarung an den Rock'n'Roll als Lebenseinstellung und das damit verbundene Lebensgefühl. Die Band hat es geschafft den meisten ihrer Songs ein authentisch-raues, schwarzbluesig klingendes Feeling einzuhauchen. Wie kaum ein anderer war es das Urgestein des Rock, Keith Richards, der sein exzessives »Piraten-Leben« frei nach dem Motto »Sex, Drugs & Rock'n'Roll« auslebte. Ein Leben auf des Messers Schneide. Keith: »Ich war zehn Jahre lang die Nummer eins auf der ›Wer-stirbt-als-Nächster-Liste‹. Ich war wirklich enttäuscht, als ich von der Liste gestrichen wurde.«[81] – Doch der Stones-Gitarrist war nicht allein. Ein anderes drogengeschwängertes Urgestein im Piraten-Look war Willy DeVille, der 1977 mit seiner Band Mink DeVille und dem Album *Cabretta* debütierte, ein gekonnter Spagat zwischen Fantasie und Sehnsucht. Und auch in den Folgejahren konnte der romantische Exzentriker eine Vielseitigkeit unter Beweis stellen, die viel mehr war als nur ein ewiger Geheimtipp. Das Nachrichtenmagazin *Der Spiegel* erkor Willy zum großen Soul-Crooner und der US-Journalist Mark Keresman lobte ihn mit den Worten: »In gewisser Weise ist DeVille der Rock'n'Roll-Counterpart zu Sinatra - beide können rocken, beide haben persönliche Dämonen niedergekämpft, beide sind fähig, süße wie traurige Erinnerungen hervorzurufen, und beide können sich selbstbewusst auf den Mean Streets herumtreiben, bevor sie

81) aus dem Musikmagazin NME (New Muscial Express) vom 3. April 2007 (https://www.nme.com/news/music/the-rolling-stones-433-1341398)

bei Tagesanbruch doch wieder auf der Lonely Avenue aufkreuzen.«

Es gab weitere Kinofilme, die mit ihren Soundtracks Einfluss auf die Subkultur hatten, z.B. der tragisch-komische Musikfilm *Alice's Restaurant* (US, 1969), der Streifen *Sacco und Vanzetti* (FR/IT, 1971) aus dem das Lied *Here's to You* hervorging, das sich zum Lobgesang der Menschenrechtsbewegung entwickelte, oder die beiden Blaxploitation Filme *Shaft* (US, 1971) und *Super Fly* (US, 1972) mit herausragender Soul-Musik von Isaak Hayes bzw. Curtis Mayfield. Des Weiteren gab es die unabhängigen Low-Budget-Produktionen *The Harder They Come* (JM, 1972) mit starken Ska-, Reggae- und Rocksteady-Nummern mit dem gleichnamigen Titel-Song von Jimmy Cliff, der auch die Hauptrolle spielte, sowie die schrill-durchgedrehte *Rocky Horror Picture Show* (US, 1975) von Richard O'Brien mit dem dazugehörigen Soundtrack (z.B. *Time Wrap)*.

Doch allen musikalischen Engagements zum Trotz, wollte in der zweiten Hälfte der siebziger Jahre im Zuge der Discowelle eine unpolitische Generation der Post-68er lieber nur Partys feiern, tanzen und Spaß haben. Angesagt war kommerziell ausgerichtete Pop- und Disco-Musik von Gruppen mit faschingsreifen Outfits wie Abba *(Dancing Queen,* 1975) oder den Bee Gees mit Songs wie *Stayin' Alive* und *Night Fever,* aus dem Tanzfilm *Saturday Night Fever* (1977). Darüber hinaus schafften es andere Interpreten, gute Qualität zu produzieren: *Bohemian Rhapsodie* (1974/75), eine gelungene Fusion aus Pop und Klassik, ist ein Meisterwerk der Gruppe Queen. – Das Thema Rotlichtgewerbe in New Orleans schien unerschöpflich. Der Erotik-Song *Lady Marmalade*, auch als »Französischlektion« unter dem Titel *Voulez vous coucher avec moi ce soir? (Willst du heute Nacht mit mir schlafen?)* Anfang 75 rausgebracht, ist ein echt geiler Soul-Funk-Song von der Girlie-Group Labelle mit der unwiderstehlichen Lead-Sängerin Patti LaBelle, als DIE Verführung in Person: *We drink wine with diamonds in the glass, By the case, the meaning of expensive taste, If you wanna gitchie, gitchie, ya-ya – Wir trinken Wein mit Diamanten im Glas, Kistenweise, die Bedeutung des teuren Geschmacks, Wollen wir gitchie, gitchie, ya-ya – Gitchie, Gitchie, ya-ya, da-da.* – Bob Dylan protestierte Anfang 1976 mit *Hurricane* gegen die unrechtmäßige Verurteilung des Boxers Rubin »Hurricane« Carter. – Stevie Wonder verblüffte die Musikwelt mit der Doppel-LP *Songs in the Key of Life*, das viele für sein bestes Album halten. Auf den Markt kam es nach zweijähriger Arbeit im September 1976 auf dem *Motown*-Label. »Auf *Songs in the Key of Life* zeigt Wonder seine unfassbare musikalische Bandbreite: Funk, Soul, Latin,

Calypso, Jazz, Rock und Blues. Neben klassischen Pop-Balladen finden sich auf dem Album auch Big-Band-Nummern, Disco-Anleihen oder pastorale Gesänge. Inhaltlich führt Wonder immer wieder sozialkritische Themen an: Er beklagt den Rassismus in Amerika und zeigt die Armut und Hoffnungslosigkeit vieler Schwarzer auf. Seine Texte sind dabei zwar nicht zwangsläufig intellektuell, dafür von einer Dringlichkeit und Direktheit, die unter die Haut geht.«[82] – Im November desselben Jahres zeigte Sänger Elton John mit dem Song *Sorry Seems to Be the Hardest Word,* wie schwer es ist, um Vergebung zu bitten. – Die Eagles, eine US-amerikanische Country-Rock-Band, brachten im Dezember eines der meistverkauften Alben der Musikgeschichte raus. *Hotel California* hieß sowohl die LP, als auch der erste Song auf dem Album. Die Vinyl-Single *Hotel California* wurde im Laufe des nächsten Jahres zum Überflieger. Über den mehrdeutigen Text wurde viel spekuliert, Assoziationen zu Drogen und einem Bordell liegen nahe. Zu den Textaussagen mit einem vereinnahmenden »Hotel« als Symbol - *You can check out any time you like, But you can never leave.* - erklärte der Schlagzeuger der Eagles, Don Henley, es sei »ein Lied über die Schattenseiten des amerikanischen Traums und den Überfluss, in dem wir in Amerika leben - und den wir nur allzu gut kennengelernt hatten. ›Hotel California‹ war unsere Interpretation vom High Life in Los Angeles.« – Im Februar 1977 veröffentlichte die Rockband Fleetwood Mac

82) Diethard Stein

in neuer Besetzung (ohne Peter Green) mit *Rumours* ein Pop-Album, welches den hohen Verkaufszahlen von *Hotel California* kaum nachstand. – Die Ikone David Bowie besang im September mit *Heroes* die Liebe im Schatten der Berliner Mauer. – Das eindringliche *I Will Survive* (1978) von Gloria Gaynor, war die definitive Mutmacher-Nummer, um sich aus Repressionen, Fremdbestimmung und Abhängigkeit zu befreien. – Ein absolutes Paradestück aus dem Bereich Fusion-Jazz war das gut tanzbare *Birdland* (1977) von der Gruppe Weather Report, eine Hommage an den gleichnamigen New Yorker Jazzclub[83] und an den Saxofonisten Charlie »Bird« Parker.

Alles in allem breitete sich aber, was musikalische Protestmentalität als gesellschaftliche Strömung betraf, eine gewisse Leere aus, die vielleicht vorhanden sein muss, damit etwas Neues entstehen kann. – Auf politischer Ebene wurde 1975, nach 20 Jahren, der Vietnam-Krieg beendet, mit einer schmachvollen Niederlage der USA. Einen gemeinsamen Protest verschiedener Friedensaktivisten gegen Waffenlobby, Söldner und Schreibtischtäter gab es nicht mehr. Der Deutsche Herbst 1977 war mit zwei Entführungen[84] der unrühmliche Höhepunkt der Auseinandersetzung zwischen staatlicher Obrigkeit

83) »Birdland« war von 1949 bis 1965 ein Jazzclub am New Yorker Broadway

84) der Arbeitgeberpräsident Hans Martin Schleyer und das Passagier-Flugzeug »Landshut«

auf der einen und militanten Weltverbesserern (RAF) auf der anderen Seite; der Versuch, das Konzept Stadtguerilla von Südamerika auf Europa zu übertragen, war gescheitert. Mit dem Tunix-Kongress im Januar 1978 in West-Berlin wurde der Versuch gestartet, der inzwischen abgehalfterten 68er-Generation neues Leben, sprich Projekte, einzuhauchen.

Mitte der 1970er Jahre entstand im New Yorker Stadtteil Manhattan innerhalb der Subkultur eine neue musikalische Stilrichtung. Als Wegbereiter dieser Strömung gelten heute die bereits erwähnten US-amerikanischen Bands MC5, The Velvet Underground und Iggy Pop mit den Stooges. Es waren wohl überwiegend junge Arbeitslose, mittellose Studenten und orientierungslose gelangweilte Kids, die das Bedürfnis hatten sich musikalisch auszudrücken. Sie hatten kein Interesse am Virtuosentum von Solisten wie Emerson, Lake & Palmer und wollten wieder »reine« schnörkellose Rockmusik spielen – einfach wild drauf los, auch mal laut und krachend, ohne »Pink-Floyd-Schnick-Schnack« und oft mit schockierenden Texten. Im angesagten Musikclub *CBGB*, hatten sie ihre Bühne: die Ramones *(Blitzkrieg Bop,* 1976), Blondie[85], Patti Smith *(Piss Factory,* 1974) oder Richard Hell and The Voidoids *(Blank Generation,* 1977). Nicht zu vergessen die New York Dolls *(Trash,* 1973) mit ihren verrückten Travestie-Shows, die im *Mercer Arts Center,* oder im *Max's Kansas City* auftraten. Als die Fan-

85) ihren größten Hit hatte Blondie 1979 mit »Heart of Glass«

Zeitschrift *Punk Magazine* über diese Gruppen und ihre Musik berichtete, blieb irgendwann das Wort PUNK als Bezeichnung für ihre Musik hängen, auch wenn einige davon nicht begeistert waren, denn die Bedeutung des Wortes »Punk« war negativ belastet. Aber der Punk-Rock war geboren und nicht mehr aufzuhalten. Zuerst gab es ihn allerdings nur in den USA. Das änderte sich, als der Manager der New York Dolls, der Brite Malcolm McLaren New York 1975 den Rücken kehrte und mit seinen gesammelten Erfahrungen zurück nach England zog. Im Gepäck hatte er die Punk-Kultur und importierte diesen neuen Trend quasi nach London. Dort angekommen managte McLaren die Band Sex Pistols; seine Freundin Vivienne Westwood betrieb in der Kings Road die Boutique »Sex« und trug damit entscheidend zum Punk-Look bei. Der Punk-Rock trieb in der Hauptstadt des Vereinigten Königreichs neue Blüten und eine davon waren die Sex Pistols. Sie brachten provokante Titel raus, Ende 1976 *Anarchy in the U.K.* und ein halbes Jahr später *God Save the Queen.* Über *Anarchy in the U.K.* schrieb der Kulturwissenschaftler Diedrich Diederichsen: »Diese Single eröffnete eine Bewegung, die einen gezielten inhaltlichen Beitrag zur kulturellen Entwicklung des Westens zu leisten hatte. Sie war die negative Antithese zum Entwurf der Alternativkultur und der späten neuen Linken, die glaubte, man könne durch den Aufbau eigener kultureller Strukturen kompensieren, was man politisch nicht erreicht hatte.« Eine andere erfolgreiche Londoner Punk-Blüte waren The Clash. Sie produzierten ihr bedrückendes *London Calling* 1979: *London calling to the faraway towns, Now war is declared and battle come down, London calling to the underworld, Come out of the cupboard, you boys and girls.* – *Jetzt eine Nachricht aus London an die Städte der Welt weit draußen, Ab jetzt herrscht Krieg und der Kampf bricht aus, London ruft die Unterwelt auf, bekennt euch, zeigt Flagge, ihr Jungen und Mädchen.*

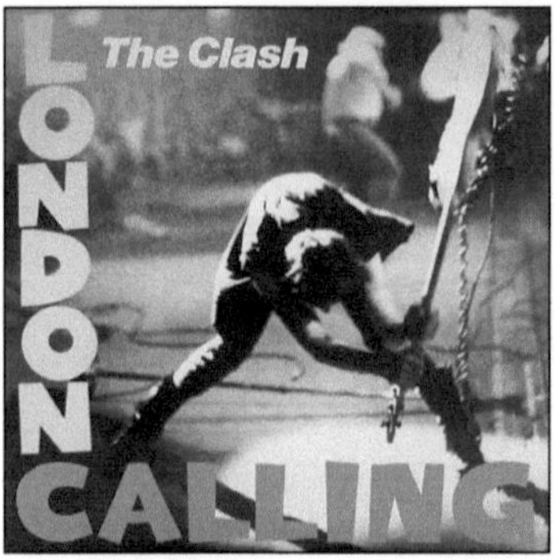

Der Punk-Rock – und etwas später auch der New Wave – brachte eine kulturelle Erneuerung. Ähnlich radikal wie die Dadaisten sechzig Jahre zuvor, gingen auch die Punker vor. Beide nutzten den Schock als Mittel zur Aufmerksamkeit. Der Berliner Underground-Aktivist Bommi Baumann lakonisch: »Der Punk hat den Rock'n'Roll wieder revolutioniert.« Der anarchisch-aggressive Punk belebte den Protest der Aussteiger, Hippies und Achtundsechziger gegen bestimmte gesellschaftliche Normen und Werte und schuf durch die Sehnsucht nach mehr Freiheit eine neue Zeitgeistströmung. Um sich von den Hippies zu unterscheiden, schnitten sich die Punker die Haare kurz, färbten sie bunt, trugen zerschlissene Kleidung und schmückten sich mit Tattoos, Sicherheitsnadeln und Rasierklingen. Die urbane subkulturelle Protestbewegung wurde fortgeführt, und es ist offensichtlich, dass »Punk die trotzig-traurige Wut über den Verlust der Hippie-Träume war«[86], auch wenn es Punker gibt, die das nicht wahrhaben wollen.

Doch auch jenseits vom Punk entstand Ende der 70er noch musikalisch Aufrüttelndes. Begeisternde Interpretationen toller Rhythm & Blues- und Soul-Klassiker, sowohl live, als auch auf Tonträger, wurden von den Blues Brothers *(Sweet Home Chicago)* produziert, mit John Belushi und Dan Aykroyd; 1980 folgte die kultige Action-Komödie *Blues Brothers* als Kinofilm. – Mit *Highway to Hell* besang die Hard-Rock Band AC/DC weniger ihr Tourleben; vielmehr war es ein provokanter Schrei nach Freiheit. – Pink Floyd verdanken wir das radikale Schülerlied *Another Brick in the Wall (Part Two),* womit sie das Schulsystem kritisierten; ein Song aus dem Konzept-Album *The Wall.* – Weltpolitisch gesehen waren 1979 der Umsturz im Iran (der Schah musste fliehen und der religiöse Führer Chomeini kam an die Macht) und die Intervention der Sowjetunion in Afghanistan von großer Bedeutung, deren Folgen[87] heute noch spürbar sind.
Eckhart Tolle gelang retrospektiv eine tolle Analyse: »Die Hippiebewegung, die in den sechziger Jahren des 20. Jahrhunderts an der Westküste der Vereinigten Staaten ihren Anfang nahm und sich dann in der ganzen westlichen Welt ausbreitete, entstand durch die Auf-

86) Misha Schoeneberg

87) eine der Folgen war die Gründung von al-Qaida, ein weltweit operierendes Terrornetzwerk islamistischer Organisationen

lehnung vieler junger Leute gegen soziale Archetypen, Rollen und vorgegebene Verhaltensmuster sowie gegen egobegründete Gesellschafts- und Wirtschaftsstrukturen. Die jungen Leute weigerten sich, die Rollen zu spielen, die ihnen ihre Eltern und die Gesellschaft aufzwingen wollten. Hinzu kam zeitgleich das Grauen des Vietnam-Krieges, in dem drei Millionen Vietnamesen und mehr als 57.000 junge Amerikaner starben, und der den Irrsinn des Systems und das ihm zugrunde liegende Denken aller Welt offen legte. Während in den fünfziger Jahren die meisten Amerikaner in Denken und Verhalten noch extrem angepasst waren, begannen in den Sechzigern Millionen Menschen, ihre Identifikation mit einer gedachten kollektiven Identität aufzugeben, weil der Irrsinn des Kollektivs so unübersehbar war. Die Hippiebewegung stellte eine Lockerung der bis dahin rigiden Egostrukturen in der Psyche der Menschheit dar. Die Bewegung selbst degenerierte schließlich und ging zu Ende, aber sie hatte eine Öffnung bewirkt, und das nicht nur bei denen, die Teil der Bewegung waren. Dadurch konnte die alte östliche Weisheit und Spiritualität in den Westen gelangen und eine entscheidende Rolle bei der Erweckung des globalen Bewusstseins spielen.«

Eine andere Sichtweise in Bezug auf Musik hatte Dietmar Hüser: »Sollte es stimmen, dass Musik historische Umbrüche hörbar macht und Janis Joplin, Bob Dylan oder Jimi Hendrix mehr über die Befreiungsutopien der 1960er Jahre aussagen als jede Theorie der Krise, dann werfen

Bill Haley und *Rock Around the Clock* grelle Schlaglichter auf die Vorlaufphase dieser westlichen Kultur-Revolution.« Peter Schneider brachte es kurz auf den politischen Punkt: »Es war eine schöne und schreckliche Zeit. Meinen Kindern sage ich: Es ist nötig – und wird immer wieder nötig sein und Mut erfordern –, gegen selbsternannte Herren der Welt und eine feige oder übergeschnappte Obrigkeit zu rebellieren.« Und Daniel Gäsche meint: »Musiker wie Janis Joplin, Jimi Hendrix oder die Rolling Stones machten deutlich, dass sie mehr als nur reine Akteure außergewöhnlicher Liveauftritte waren. Hier zeigt sich schon, dass der Rock nicht bloß ein Musikstil, sondern ein Lebensgefühl ist. Er steht für Freiheit, Kraft, Sex und auch für Gewalt. Er ist schmutzig und Rebellion. Er öffnete ein Ventil, vermittelte ein Aufbruch- und Lebensgefühl und war dadurch mitverantwortlich dafür, dass Jugendliche immer mehr die Finger in die Wunde der Gesellschaft legten und die Probleme regelrecht herausschrien. [...] Die Rockmusik trug den revolutionären Geist in sich und hauchte diesen dann bei vielen ihrer Zuhörer in Form der Selbstreflexion ein. Dank der Rockmusik fand die 68er-Bewegung eine Möglichkeit, sich als eine gemeinsame Gruppe mit gemeinsamen Absichten und Interessen dazustellen.«

Wer heute Rock'n'Roll sagt, meint sowohl die rebellische Musik der 1950er und frühen 60er Jahre, als auch eine individuelle Lebenseinstellung mit leicht anarchistischem Touch, die heute noch Gültigkeit hat. Darüber hinaus ist Rock'n'Roll ein Synonym für Rock-Musik als solche geworden. In welchem Kontext der Rock'n'Roll außerdem noch gesehen werden kann, steht als Klappentext-Resümee im »Rock'n'Roll«-Buch von Mike Evans: »Die Wurzeln des Rock'n'Roll sind vielfältig: Sie liegen im Bebop, im Blues, im Hillbilly, im Country und im Jazz und zeigen den Rock'n'Roll als Spross einer Welt im Umbruch, der ohne die gesellschaftlichen, politischen und internationalen Umwälzungen der fünfziger- und sechziger Jahre wohl gar nicht möglich gewesen wäre. Rock'n'Roll war nicht nur als Musikrichtung, sondern als die prägende Kraft in Literatur, Kunst, Theater, Film, Mode und Studentenkultur angezeigt: Dichter und Schriftsteller – allen voran natürlich die »Beat Generation« –, Maler und Zeichner, Regisseure und Schauspieler, Designer und Intellektuelle, von ihnen ging der Wandel aus, der alle Bereiche der Gesellschaft erfassen sollte. Und der rebellische Rock war ihre ureigene Musik und Lebenshaltung.« Der Musikwissenschaftler Christian Bielefeldt ergänzt: »Wohl keinem anderen Phänomen der Popkultur sind mehr kulturhistorische Superlative zugeschrieben worden als dem Rock'n'Roll. Je nach Blickwinkel und Methode gilt er als Wendepunkt oder Neubeginn, als kulturelle Explosion oder musikalische Revolution. Fast alle späteren Stile der Popmusik haben sich – positiv wie die Beat- und Rockmusik der 1960er Jahre oder auch kritisch wie mitunter Hardrock oder Punk – auf ihn bezogen. Faktisch stehen dem zahlreiche Kontinuitäten zwischen der populären Musik der USA vor und nach 1955 gegenüber. Ebenso offensichtlich gehen dem Rock'n'Roll weitreichende Veränderungen innerhalb der US-Gesellschaft voraus, die seinen Höhenflug und seine anhaltenden, globalen Nachwirkungen erst möglich gemacht haben. Dennoch waren die Phänomene und Diskurse des Rock'n'Roll unbestreitbar ein Motor tiefgreifenden gesellschaftlichen Wandels.«

Alles Irdische ist vergänglich – Licht und Schatten bilden eine polare Einheit. Die verrückte Zeit totaler Umwälzung dauerte ungefähr ein Vierteljahrhundert (lässt man die Vorlaufphase der späten 40er Jahre außer acht). Mit dem Auslaufen der 1970er Jahre war die kreative Energie der Hippies, Spontis, Freaks, Drop-Outs, Aktivisten und Punker weitgehend erschöpft. Auch wenn lebende Legenden wie die Rolling Stones, Bob Dylan[88] oder Iggy Pop heute immer noch musikalisch aktiv sind, auch wenn Gruppierungen wie *Attac, Occupy* oder *Rainbow Gathering* versuchen neue Impulse zu setzten: mit den achtziger Jahren war eine andere, völlig neue Zeitqualität angebrochen; es gab kaum noch große kollektive Träume, noch weniger Visionen und Utopien schon gar nicht.

Nach fünfjähriger öffentlicher musikalischer Abstinenz kehrte John Lennon Ende Oktober 1980 zurück zu seinen Wurzeln und würdigte mit seinem Retro-Song *(Just Like) Starting Over* musikalisch noch einmal die Rock'n'Roll-Heros seiner Jugend, zusammen mit einem Liebestext an Yoko Ono. Das Lied wurde im Laufe weniger Wochen in

88) erhielt 2016 den Nobelpreis für Literatur

vielen Ländern ein Charterfolg, den der Autor selbst aber nicht mehr erleben durfte.

Durch die Uraufführung des Films *Die Saat der Gewalt* mit dem Soundtrack *Rock Around the Clock* war im März 1955 in New York das Rock'n'Roll-Zeitalter eingeläutet worden. Anfang Dezember 1980 geschah in derselben Stadt das Unfassbare. Der dunkle Schatten von »Love & Peace« kam aus dem kalten Lauf einer Pistole Kaliber 38 und besiegelte das Ende einer Ära. Misha Schoeneberg: »Ich war dankbar für die Zeit, was sollte noch kommen? Ich saß am Strand von Goa, lauschte dem Wind und den Vögeln. ›Und, hast du's gehört? Sie haben gestern John Lennon erschossen!‹ Ich sah den Sonnenuntergang. Der einst sonnengelbe Strand war getaucht in tiefes Lila, dunkel wie das Meer, und vom Himmel hoch schien es blutendrot zu tropfen. Das war das Finale eines großen Traums. Erst jetzt war das Jahrzehnt zu Ende, eine ganze Zeit fand ihren Schlussakkord in diesem Schuss.«

Epilog

Mit dem Tod von John Lennon († 1980) war – neben Louis Armstrong († 1971) und Elvis Presley († 1977) – die dritte außergewöhnlich große Persönlichkeit der populären Musik des 20. Jahrhunderts von der Bühne abgetreten. Und? Wie sah es mit der Nachgeschichte aus? Na klar, außer weichgespültem Synthie-Pop wurden in den 1980ern und der Folge auch progressive Songs mit kritischen oder provokanten Texten produziert. Interpreten wie Bruce Springsteen *(Born in the U.S.A.*, 1984), Talking Heads *(Road to Nowhere,* 1985), Prince *(Sign o' the Times,* 1987), Traveling Wilburys *(Handle with Care,* 1988), Michael Jackson *(Earth Song,* 1995), Madonna, U2, R.E.M., Tracy Chapman und andere hatten ihre Qualitäten. Des Weiteren gab es rebellische Typen wie Lemmy Kilmister, Sänger und Bassist von *M*otörhead, der wie kaum ein anderer den Outlaw-Rocker verkörperte, sowie Sänger mit höchsten Qualitätsstandards wie Joe Cocker. In den Jahren danach entstand weiterhin engagierte Musik wie z.B. *Smells Like Teen Spirit* (1991) von der Grunge-Band Nirvana, *What's Up?* (1993) von 4 Non Blondes, Lieder vom unverwüstlichen Bob Dylan, von Tom Waits oder die sensationelle Albenreihe *Ame-*

rican Recordings[89] von und mit Johnny Cash. Im neuen Jahrtausend schockten Pussy Riot mit *Mother of God, Putin Put* (2012) aus Moskau und nicht zu vergessen die nachdenklichen Songs der britischen Band Coldplay.

In den neunziger Jahren und später folgten die sogenannten Raver mit Techno, Loveparade und Ecstasy, ein Trend – »feiern bis der Arzt kommt« – über deren kulturpolitische Relevanz man geteilter Meinung sein kann. Es gibt Stimmen die sagen, man *muss* Ecstasy einwerfen, um auf Techno abzufahren – ohne Drogen wären diese elektronischen Computer-Sounds auf Dauer nicht zu ertragen. Der Szene-Kenner Wolfgang Sterneck: »Auch die Loveparade und ihre Entwicklung ist ein Ergebnis der umgebenden soziokulturellen Bedingungen. Und da unterscheidet sie sich grundlegend von den späten sechziger Jahren, in denen selbst bei betont apolitischen Hippies eine grundlegende gesellschaftliche Veränderung ein selbstverständliches Ziel war. Bei der Loveparade muss man jedoch lange nach derartigen Zielen suchen [...].« Was die Hippies betrifft, so war Hunter Thompsons Einschätzung 1967 dazu abweichend: »Anders als die entschlossenen Radikalen [...] interessierten sich die Hippies eher für den Ausstieg aus der Gesellschaft und nicht für deren Veränderung.« Wahrscheinlich liegt die Wahrheit irgendwo in der Mitte, es gab unter den Hippies solche und solche. Doch es gibt noch einen anderen wesentlichen Aspekt, worin sich die Raver von den Hippies unterschieden; dazu die Wissenschaftlerin Anja Seifert:

89) produziert von Rick Rubin

»Im Unterschied zu den Ravern setzten die Hippies die Drogen in den Kontext Spiritualität und Bewusstseinserweiterung.« Sind wir hier schon bei der Zweiteilung heilig/profan angekommen?

Und wie sah es mit den politischen und ökonomischen Erneuerungsvorstellungen in der BRD aus? Die Demokratie (oder besser gesagt, die »Lobbykratie«) mit ihrem lebendigen Parlamentarismus und all den Licht- und Schattenseiten überlebte – zum Glück!? Doch leider überlebte auch der Kapitalismus. Die Antwort nach dem Warum wusste Bertolt Brecht schon im letzten Jahrhundert: »Das gegen ihn gespritzte Gift verwandelt der Kapitalismus sogleich und laufend in Rauschgift und genießt dieses.« Die freie Marktwirtschaft mit Privateigentum an Produktionsmitteln und an Grund und Boden sowie die über alles stehende kühl kalkulierte Rentabilität der Großkonzerne arteten zum rücksichtslosen Neoliberalismus[90] aus und mutierten zum Kasino- und Turbo-Kapitalismus, mit einer immer stärker werdenden globalen Dynamik. »Das Problem ist, dass diese Dynamik sich spätestens nach 1989 so alternativlos über die Welt ausgebreitet hat, dass es den Anschein hat, als ob es keinerlei andere Möglichkeiten gibt, menschliches Leben zu führen. Das ist eine große Problematik – sowohl auf dem sozialethischen-politischen Bereich, aber auch eben auf dem Bereich der individuellen Lebensführung.«[91] Soziale

90 das »Mantra« der Neoliberalen lautet: Privatisierung, Steuersenkung (für Großkonzerne) und Sozialstaatsabbau

91) Rainer Bucher

Ungleichheiten wachsen und eine Kapitalismus-Reform ist dringend geboten. Gute Ideen dazu gibt es viele, z.B. die von mehr als hundert Forschern um den Ökonomen Thomas Piketty (»Weltreport über Ungleichheit«). Piketty: »Wirtschaftliche Entwicklung und menschlicher Fortschritt sind dem Kampf um Gleichheit und Bildung zu verdanken, nicht der Anbetung von Eigentum, Stabilität und Ungleichheit.«

Die späte Postmoderne der 90er, mit ihrer »Talk-Show-Mentalität, alles geht, alles wird ins völlig Beliebige sinnentleert«[92], steht im grundsätzlichen Gegensatz zu den Fragen der Nachkriegsgeneration bei denen es neben der Aufklärung der nationalsozialistischen Gewaltherrschaft und der Infragestellung von Autorität und Gehorsam auch um Bewusstseinserweiterung und Transformation ging. Dann folgte der Millenniumswechsel. Heute leben wir in der »Post-Rock-Ära des HipHop und der elektronischen Tanzmusik, in der Sequenzer und Drummaschinen vorherrschen«, wie Jody Rosen es formulierte. Dan Aykroyd sprach als Elwood Blues im Film *Blues Brothers 2000* in diesem Zusammenhang von »lächerlichen wiederaufbereiteten digital-gesampelten Techno-Grooves, Quasi-Synthie-Rhythmen, Pseudo-Songs von gewalt-geladenem Gangsta-Rap, Acid-Pop und albernem, zuckrigem, seelenlosem Kitsch« – nicht zu vergessen Fäkalsprache und Satanismus. Außerdem werden großartige Retro-Titel gecovert und mit vermeintlich modernen

92) Misha Schoeneberg

Arrangements verschlimmbessert. Trotzdem kann man es auch positiv sehen, denn »der HipHop geht musikalisch neue Wege, ist Ausdruck einer jungen Generation, so wie es auch die Hippies waren. Es geht vielen in der HipHop Bewegung um Redefreiheit, künstlerische Freiheit und soziale Freiheit.«[93] Ähnlich sieht es auch der Choreograph Raphael Hillebrand: »HipHop ist für mich eine Blaupause für Selbstermächtigung von marginalisierten Menschen. Und dadurch ist HipHop eine total politische Kultur und einfach eine Überlebensstrategie.« – Okay. Wie immer man zur heutigen Mainstream-Musik auch stehen mag – es gibt Menschen, deren Qualitätsanspruch[94] ein anderer ist. Hey Chuck, dann vielleicht wohl doch besser *Roll back to Beethoven,* oder was?

Lassen wir mal die Kirche im Dorf und halten den Ball flach. »Rock'n'Roll ist ein alter Mann. Sein Krückstock ist die Nostalgie und seine musikalische Energie eine Erinnerung an noch nicht Geschehenes. Ob jung, ob alt, wer immer sich dem Rock'n'Roll verschrieben hat, muss damit leben: Er hat sich irgendwie überlebt und – wird doch niemals sterben. Er ist Ansage an jugendliches Leben, den Neuanfang und auch die Naivität eines Kindes. Rock'n'Roll steckt in den Kinderschuhen, egal, wie alt seine Protagonisten auch sein mögen, wie

93) Daniel Gäsche

94) Auch wenn Millionen Menschen einen schlechten Geschmack haben, bleibt es trotzdem ein schlechter Geschmack.

oft man ihn totgesagt hat und wie viele Sandkastenfreunde schon gestorben sind.«[95] – Dem Journalisten Alan Posener geben wir das Wort zum Schluss: »Jede Generation wird beklagen, dass die Musik von heute der ihrer Jugend nicht das Wasser reichen kann, aber das ist Quatsch. Elvis, die Beatles, der Punk, Michael Jackson: Der Beat bleibt, weil das Bedürfnis, wie Götter zu wandeln, bleiben wird. Wenn Religion das Opium des Volkes ist, so ist der Rock'n'Roll sein Koks. [...] *Sweet, sweet rock and roll!,* singt John Lennon in *Rock and Roll People.* Nicht jeder würde auf das Adjektiv ›süß‹ kommen, aber es stimmt: Der Rock'n'Roll ist das Gelobte Land, wo Milch und Honig fließen, ein Garten Eden, in dem wir kurz vergessen, dass wir dem Tod verfallen sind. Was wären wir ohne ihn? Trauriger.« – Der Rock'n'Roll ist tot – lang lebe der Rock'n'Roll...!

95) Benedikt Viertelhaus

Danksagungen

Vielen Dank an die Erstleser für Anregungen, Kritik und Korrekturen: Sema Binia, Tine Hammer, Jens Johler, Uli Mentz, Friedel Muders, Angie Olbrich, Ingo Rose, Misha Schoeneberg, Wolfgang Seidel, Barbara Sichtermann und Marie Sichtermann.

Für Inspirationen danke ich Ruud Englebert, Funky K. Götzner, Christoph Hahn, Peter Harasim, Holly Holunder, RPS Lanrue, Elser Maxwell, Ralph Möbius, Britta Neander, Uta Raab, der Berliner Geschichtswerkstatt e.V., den Webseiten *lyricstranslate.com* und *phrasen.org*, sowie den vielen Radio- und TV-Sendungen zum Thema Rock'n'Roll und 68er-Bewegung.

Quellen/Zitate

Anonym: *Rock and Roll – Eine Revolution?* (Bachelorarbeit), München 2010

Dan Aykroyd, John Landis: *Blues Brothers 2000,* Musikfilm, Kanada/USA 1998

Bommi Baumann: *HiHo. Wer nicht weggeht, kommt nicht wieder,* Hamburg 1987

Beate Berger: *Bikini. Eine Enthüllungsgeschichte,* Hamburg 2004

Chuck Berry: *The Autobiography,* New York 1987 / *Die Autobiographie,* Rastatt, 1988

Christian Bielefeldt: *Rock'n'Roll,* in T. Hecken, M. Kleiner: *Handbuch Popkultur,* Stuttgart 2017

Lothar Binger: *68, selbstorganisiert & antiautoritär,* Berlin 2018

Bruce Bruckmoser, Peter Wulff: *Lexikon der Pop- & Rock-Musik,* Landshut 1996

Rainer Bucher: *Christentum im Kapitalismus,* Würzburg 2019

Daniel Cohn-Bendit: *Ein richtiges Leben im falschen System,* in B.& K.Sichtermann: *Das ist unser Haus,* Berlin. 2017

Howard Cunnell: *Diesmal schnell,* in Jack Kerouac: *On the Road,* Nachworte, Reinbeck 2013

Thorwald Dethlefsen: *Prometheus,* Vortrag von 1986, Hamburg 2016

Diedrich Diederichsen: *Anarchie muss laut sein: Die Geburt des Punk, www.welt.de,* Hamburg 2006

Friedrich Engels: *Zur Wohnungsfrage* (1872), in

K. Marx/F. Engels: Werke, Band 18, Berlin 1969

Mike Evans: *Rock'n'Roll,* München 2007

Ulrike Freimuth: *Durch Ekstase in die Vision – Was ist Trance Tanz?,* in *https://compassioner.com,* Baden Baden 2018

Daniel Gäsche: *Born to be wild - Die 68er und die Musik,* Leipzig 2008

Glenn Gould: *Auf der Suche nach Petula Clark,* in: G. Gould: Vom Konzertsaal zum Tonstudio, München 1992

Ronald Hahn, Volker Jansen: Kultfilme, München 1985

Helmut Hein: *Elvis hat die Welt verändert,* in *mittelbayerische.de,* Regensburg 2015

Konrad Heitkamp: *K.O.-Schlag in der letzten Note,* in Zeit Online, Hamburg 2005

Dietmar Hüser: *Rock around the clock,* in Themenportal Europäische Geschichte (Internet), Berlin 2007

Wolfgang Jansen: **Cabaret (Liza Minnelli),** in: *www.songlexikon.de,* Freiburg 2011

Jens Kastner: *Die 1968er Jahre als globale Kulturrevolution, Deutschlandfunk,* Köln 2018

Gernot Kramper: *Christine Keeler - die schönste Frau Londons, die als »Hure der Nation« endete,* in *www.stern.de,* Hamburg 2017

Rolf Langenhuisen: *Bill Haley und die Revolte der Schmalzlocke, www.derwesten.de,* Berlin 2011

Ian MacDonald: *The Beatles - Das Songlexikon,* Kassel 2000

Joachim Mohr: *Die 60er Jahre,* in *Der Spiegel* – Geschichte, Hamburg 2016

Florian Nöhbauer: *Stevie Wonder - Songs in the Key of Life,* Plus Musik, Ruhmeshalle, *Bayerischer Rundfunk,* München 2013

Mike O'Brien: Zitat in *www.quora.com,* Quora Inc., Mountain View, USA 2015

Philipp Oehmke: *Der große Sommer,* in *Der Spiegel* Nr.31, 27.7.19, Hamburg 2019

Philipp Oehmke, Tobias Rapp: *Ein Jahrzehnt für die Ewigkeit,* in *Der Spiegel* Nr. 21, 22.5.10, Hamburg, 2010

Robert Palmer: *Rock & Roll,* St. Andrä-Wördern 1997

Alan Posener: *Befreite Sinneslust,* in Welt.de, Berlin 2011

Tobias Rapp: *Unter Strom,* in *Der Spiegel* Nr.5, 26.1.19, Hamburg 2019

Wilhelm Reich: *The Murder of Christ, New York 1953* / Christusmord, Olten 1978

Anne Reiche: *Auf der Spur,* Brüssel 2018

Retromania: https://wakelet.com/wake/59007018-d3fe-4c6babb8-8041a9e3d20b

Jody Rosen: *White Christmas,* München 2003

Hans-Jürgen Schaal: *Tin Pan Alley, Die Straße des Standards,* in www.hjs-jazz.de/?p=00109 1997

Frank Schäfer: *Legalisiert Leary!,* Spiegel Online, Hamburg 2006

Rainer Schmitt: *Zwischen Mythos und Ekstase,* Evangelische Akademie, Braunschweig, 1998

Peter Schneider: *Rebellion und Wahnsinn,* Köln 2008

Misha G. Schoeneberg: *Als wir das Wunder waren,* Berlin 2020

Jan Schwarzkamp: *Die 70er - Das Ende und der Anfang des Rock'n'Roll,* in *www.vice.com,* Berlin 2015

Jon Savage: *1966, The Year the Decade Exploded,* Leipzig 2016

Thomas Seibert: *In erster Person,* in *Wiedersehen mit Tunix!,* Berlin 2018

Anja Seifert: *Körper, Maschine, Tod,* Wiesbaden 2004

K.Sichtermann, J.Johler, C.Stahl: *Keine Macht für Niemand,* Berlin 2000

K.Sichtermann, J.Johler, A.Olbrich: *Vage Sehnsucht,* Berlin 2017

Kai Sichtermann (Hrsg.): *Kultsongs & Evergreens*, Berlin 2010

Kai Sichtermann (Hrsg.): *Eros, Nächte, Moneymaker*, Bremen 2017

Wolfgang Sterneck: *Party, Liebe und Profit*, Interview im Online-Magazin UB, Zürich 2010

Diethard Stein: *James Brown Playalong*, in JAM!, *www.sticks.de*, Köln 2019

Hunter S. Thompson: *Angst und Schrecken in Las Vegas*, in Gonzo Generation, München 2007

Eckhart Tolle: *Eine neue Erde*, München 2005

Benedikt Viertelhaus: *Urgesteine oder Uropas des Rock 'n' Roll?*, in *www.kritische-ausgabe.de*, Bonn 2005

Werner Voss: *Rock'n'Roll Museum*, 580 Radiosendungen, NDR, Hamburg 1974-2013

Stephan Wackwitz: *Weiblich, Ledig, Jung, "Frühstück bei Tiffany's" erfand die moderne Frau*, aus *Die Welt*, Kultur, Berlin 2010

Johannes Waechter: *Als Rockmusik die wichtigste Waffe im revolutionären Kampf war*, in *Süddeutsche Zeitung*, Magazin, München 2017

Thomas Waldherr: *I'm in a cowboy band, https://cowboyband.blog/2013/07/27/the-weight*, Bickenbach 2013

Roger Willemsen: *Musik! Über ein Lebensgefühl*, Frankfurt am Main 20218

Udo Zindel: *Aufstieg und Fall der Hippiebewegung*, SWR2 Wissen, Stuttgart 2018

Songliste auf Spotify (kleine Auswahl)

LOUIS ARMSTRONG & HIS ALL-STARS: *Mack the Knife* (Bertolt Brecht, Kurt Weill, Marc Blitzstein) 1955

BILLIE HOLIDAY & HER ORCHESTRA: *Summertime* (G. Gershwin, DuBose Heyward, Ira Gershwin) 1936

BILLIE HOLIDAY & HER ORCHESTRA: *Strange Fruit* (Abel Meeropol) 1939

BILL HALEY & HIS COMETS: *Rock Around the Clock* (Max Freedman, Jimmy de Knight) 1953

CHUCK BERRY: *Johnny B. Goode* (Chuck Berry) 1958

ELVIS PRESLEY: *Jailhouse Rock* (Jerry Leiber, Mike Stoller) 1957

LITTLE RICHARD: *Tutti Frutti* (Richard Penniman, Dorothy LaBostrie) 1955

EDDIE COCHRAN: *Summertime Blues* (Eddie Cochran, Jerry Capehart) 1958

HARRY BELAFONTE: *Banana Boat Song* (Harry Belafonte, Irving Burgie, William Attaway) 1956

CHUBBY CHECKER: *The Twist* (Hank Ballard) 1958

AUDREY HEPBURN: *Moon River* (Johnny Mercer, Henry Mancini) 1961

MARLENE DIETRICH: *Sag mir wo die Blumen sind* (Pete Seeger, Max Colpet) 1962

GERRY & THE PACEMAKERS: *You'll Never Walk Alone* (Richard Rodgers, Oscar Hammerstein II) 1963

THE SUPREMES: *Stop! In the Name of Love* (Brian Holland, Lamont Dozier, Eddie Holland) 1966

THE RONETTES: *Be My Baby* (Phil Spector, Ellie Greenwich, Jeff Barry) 1963

THE BEATLES: *Please Please Me* (John Lennon, Paul McCartney) 1963

MUDDY WATERS: *I Just Want To Make Love To You* (Willie Dixon) 1954

THE KINKS: *You Really Got Me* (Ray Davis) 1964

THE ROLLING STONES: *(I Can't Get No) Satisfaction* (Mick Jagger, Keith Richards) 1965

THE ANIMALS: *We've Gotta Get Out of this Place* (Barry Mann, Cynthia Weil) 1965

BOB DYLAN: *Like a Rolling Stone* (Bob Dylan) 1965

ARETHA FRANKLIN: *Respect* (Otis Redding) 1965

THE WHO: *My Generation* (Pete Townshend) 1965

PETULA CLARK: *Downtown* (Tony Hatch) 1964

NANCY SINATRA: *These Boots Are Made for Walkin'* (Lee Hazlewood) 1965

THE MAMAS AND THE PAPAS: *California Dreamin'* (John Phillips, Michele Gilliam) 1965

THE LOVIN' SPOONFUL: *Summer in the City* (John Sebastian, Steve Boone, Mark Sebastian) 1966

THE BEACH BOYS: *Good Vibrations* (Brian Wilson, Mike Love) 1966

FRANK SINATRA: *Strangers in the Night* (Bert Kaempfert, Charles Singleton, Eddie Snyder) 1966

THE EASYBEATS: *Friday on My Mind* (Harry Vanda, George Young) 1966

PROCOL HARUM: *A Whiter Shade of Pale* (Gary Brooker, Matthew Fisher, Keith Reid) 1967

SCOTT MCKENZIE: *San Francisco* (John Phillips) 1967

THE BEATLES: *All You Need is Love* (John Lennon, Paul McCartney) 1967

SMALL FACES: *Tin Soldier* (Steve Marriott, Ronnie Lane) 1967

ERIC BURDON & THE ANIMALS: *San Franciscan Nights* (Burdon, Briggs, Weider, Jenkins, McCulloch) 1967

THE VELVET UNDERGROUND: *I'm Waiting for the Man* (Lou Reed) 1967

CREAM: *Sunshine of Your Love* (Eric Clapton, Jack Bruce, Pete Brown) 1967

OTIS REDDING: *(Sittin' On) The Dock of the Bay* (Otis Redding, Steve Cropper) 1967

JOHNNY CASH: *I Walk the Line* (Johnny Cash) 1956

STEPPENWOLF: *Born to Be Wild* (Mars Bonfire) 1968

THE BEATLES: *Revolution* (John Lennon, Paul McCartney) 1968

THE JIMI HENDRIX EXPERIENCE: *All Along the Watchtower* (Bob Dylan) 1968

JULIE DRISCOLL, BRIAN AUGER & THE TRINITY: *Indian Rope Man* (Richie Havens, J. Rice, M. Roth) 1969

LED ZEPPELIN: *Whole Lotta Love* (John Bonham, John Baldwin, Jimmy Page, Robert Plant) 1969

THE EDWIN HAWKINS SINGERS: *Oh Happy Day* (Traditional, arr. Edwin Hawkins) 1969

JANE BIRKIN & SERGE GAINSBOURG: *Je t'aime ... moi non plus* (Serge Gainsbourg) 1969

THE ROLLING STONES: *Gimme Shelter* (Mick Jagger, Keith Richards) 1969

ELVIS PRESLEY: *In the Ghetto* (Mac David) 1969

JUDY GARLAND: *Over the Rainbow* (Harold Arlen, Yip Harburg) 1938

CREEDENCE CLEARWATER REVIVAL: *Proud Mary* (John Fogerty) 1969

EDWIN STARR: *War* (Norman Whitfield, Barret Strong) 1969

STATUS QUO: *Rockin' All Over the World* (John Fogerty) 1977

IGGY POP: *The Passenger* (Iggy Pop, Ricky Gardiner) 1977

THE BAND: *The Weight* (Robbie Robertson) 1968

JOE COCKER: *The Letter* (Wayne Carson Thompson) 1970

THE JIMI HENDRIX EXPERIENCE: *Purple Haze* (Jimi Hendrix) 1967

JANIS JOPLIN: *Me and Bobby McGee* (Kris Kristofferson, Fred Foster) 1969

THE DOORS: *Light My Fire* (Jim Morrison, Ray Manzarek, Robby Krieger, Paul Densmore) 1967

JAMES BROWN: *Sex Machine* (James Brown, Bobby Bird, Ronald Lenhoff) 1970

DEREK & THE DOMINOS: *Layla* (Eric Clapton, Jim Gordon) 1970

LIZA MINNELLI: *Cabaret* (Fred Ebb, John Kander) 1972

THE WAILERS: *Get Up, Stand Up* (Bob Marley, Peter Tosh) 1973

ROBERTA FLACK: *Killing Me Softly with His Song* (Norman Gimbel, Charles Fox) 1973

LYNYRD SKYNYRD: *Sweet Home Alabama* (Ed King, Gary Rossington, Ronnie Van Zant) 1974

BACHMAN TURNER OVERDRIVE: *You Ain't Seen Nothing Yet* (Randy Bachmann) 1974

JOAN BAEZ: *Here's To You* (Ennio Morricone, Joan Baez) 1971

JIMMY CLIFF: *The Harder They Come* (Jimmy Cliff) 1972

LABELLE: *Lady Marmalade* (Kenny Nolan, Bob Crewe) 1974

THE EAGLES: *Hotel California* (Don Felder, Glenn Frey, Don Henley) 1976

DAVID BOWIE: *Heroes* (David Bowie, Brian Eno) 1977

GLORIA GAYNOR: *I Will Survive* (Freddie Perren, Dino Fekaris) 1978

SEX PISTOLS: *Anarchy in the U.K.* (Johnny Rotten, Glen Matlock, Steve Jones, Paul Cook) 1976

THE CLASH: *London Calling* (Joe Strummer, Mick Jones, Paul Simonon, Topper Headon) 1979

BLUES BROTHERS: *Sweet Home Chicago* (Robert Johnson) 1980

AC/DC: *Highway to Hell* (Bon Scott, Angus Young, Malcom Young) 1979

PINK FLOYD: *Another Brick in the Wall* (Roger Waters) 1979

JOHN LENNON: *(Just Like) Starting Over* (John Lennon) 1980

4 NON BLONDES: *What's Up?* (Linda Perry) 1992

CHUCK BERRY: *Roll Over Beethoven* (Chuck Berry) 1956

Kai Sichtermann wurde 1951 in Kiel als Sohn eines Rechtsanwalts und einer Malerin geboren. In Lübeck besuchte er eine Musikschule. 1969 zog er nach Berlin, wo er Rio Reiser kennenlernte. 1999 schrieb er zusammen mit Jens Johler und Christian Stahl die Scherben-Biografie *Keine Macht für Niemand*. 2002 gründete er zusammen mit Angie Olbrich das Duo *Angels Blue*. 2010 erschien sein zweites Buch *Kultsongs & Evergreens*. Zusammen mit seiner Schwester Barbara Sichtermann veröffentlichte er 2017 das Buch *Das ist unser Haus - Eine Geschichte der Hausbesetzung*. Mit der Formation *Kai & Funky von Ton Steine Scherben mit Gymmick* tourt er noch immer durch Deutschland.

Mehr über seine Projekte unter:
www.kivondo.de

Fuego ist eine unabhängige Musik-, Buch- und Design-Edition. 1984 als Musik-Label gegründet, umfasst das Repertoire heute mehrere tausend digitale Veröffentlichungen - schwerpunktmäßig mit deutscher Musik- und Lesekultur aus allen Bereichen der letzten sechzig Jahre. Hierzu zählen zahlreiche, lange vergriffene Wiederveröffentlichungen, aber auch aktuelle Neuerscheinungen junger Musiker und Autoren. Besuchen Sie unsere Webseite und stöbern Sie durch die einzelnen Bereiche. Unsere Veröffentlichungen sind in allen relevanten Shops weltweit erhältlich.

Mehr über Fuego unter:
www.fuego.de